Dans la même collection :

Mille ans de contes – tome 1
Mille ans de contes – tome 2
Mille ans de contes – mer
Mille ans de contes – mythologie
Mille ans de contes – nature
Mille ans de contes – animaux
Mille ans de contes – Québec
Mille ans de contes – Indiens d'Amérique du Nord
Mille ans de contes – théâtre tome 1
Mille ans de contes – théâtre tome 2
Mille ans de contes – histoires drôles
Mille ans de contes – Tsiganes
Mille ans de contes sur les sentiers
Mille ans de Frissons
Mille ans de Poésie

Malgré toutes nos recherches, pour quelques chansons nous n'avons pu retrouver les ayants droit. Nous invitons ceux-ci à bien vouloir prendre contact avec l'éditeur.

© 2000 – Éditions Milan
ISBN : 2.7459.0051.X

Impression : Bussière Camedan Imprimeries (Saint-Amand)
Dépôt légal : 2e trimestre 2000 – N° d'impression : 001441/4

Imprimé en France

Mille ans de chansons traditionnelles

Illustrations d'Isabelle Chatellard

Illustration de couverture de Frédéric Pillot

MILAN

Sommaire

Préface

Prenez ces cent soixante-dix-sept chansons comme elles sont. Elles pourraient, demain, pour certaines, n'être pas les mêmes. Et, probablement, dire autre chose. C'est le destin de ces chansons-là. Des chansons.

Par exemple… Que survivra-t-il de celle-là, *Bella ciao*, italienne ? Son ancienne version ? Celle d'origine ? Et d'ailleurs, quelle est-elle ? La *Bella ciao* née, dit-on, du travail dans les rizières, ou celle du monde des machines et des fabriques ? Ou l'autre encore ?

> « *Oh partigiano porta mi via*
> *Bella ciao, bella ciao*
> *Oh partigiano porta mi via*
> *Che mi sento di morir.* »

On répond vite. Mais, quand le souvenir du partisan et de la Résistance italienne ne survivra que dans les pages de livres d'histoire, c'est peut-être le chant de misère qui reviendra. C'est ainsi.

On peut nommer « traditionnelle » une chanson pour cette raison, d'abord, qu'elle fournit toujours le cadre à une stimulation affective, à une urgence sentimentale, à une pressante nécessité de dire. Mais ce cadre-là doit être reconnu, approuvé, éprouvé. Il est terreau sonore, humus rythmique, agencement coutumier de syllabes fortes et douces. Il est un paysage. Il est une culture. On y retourne, lorsqu'il faut, comme au « *jardin de* [son] *père* ». Pour dire qu'on est d'un héritage, d'une communauté — communauté de lieu, de travail ou de combat, — et que c'est à cette communauté qu'on parle. On y chante de connivence. Dans la chanson « traditionnelle », on met toujours ses œufs dans le même panier, même si ce n'est pas toujours le même coq qui chante.

Voilà pourquoi la chanson « traditionnelle » vient de très loin, dans le temps et dans l'espace. De si loin qu'on n'en sait rien. Prenez *Malbrough, Malbrough s'en va-t-en guerre*. Madame Poitrine — une nourrice — l'introduit à Versailles. Nous sommes en 1780-1781. Marie-Antoinette en raffole. Beaumarchais en accapare l'air dans *Le Mariage de Figaro*, si bien qu'on le soupçonne toujours d'en être l'auteur.

Alors, n'écoutez pas ces chapitreurs qui vont, peut-être, pointer ici que le texte du *Roi Renaud* est loin d'être l'authentique. Qu'en savent-ils ? Savent-ils que ce *Roi Renaud*-là est à rapprocher d'un air celte, *Le Roi Nann*, qui, lui-même, a une parenté avec quelque chose de scandinave du XVIe ou du XVIIe siècle, *Le Prince Olaf* ? Et demandons-nous pourquoi « *En passant par la Lorraine, avec mes sabots* » retrouve un « *C'était Anne de Bretagne, duchesse en sabots* ».

Et qui peut expliquer pourquoi cette chanson du *Roi Renaud* est encore propulsée jusqu'à nous par des interprètes d'aujourd'hui, quand celle des *Anneaux de Marianson* est à peu près ignorée ?

En somme, on va reparler du cadre. Le cadre, cette matrice familiale qui fait que chacun peut y venir tricoter ses airs et ses manières.

Et ne nous y trompons pas : il a fallu combattre, à ce propos, l'idée que la chanson « traditionnelle » était le fait d'un seul auteur, discret ou oublié, comme l'idée romantique – des Allemands, surtout – selon laquelle « elle s'était faite toute seule », exprimant, dans une sorte de candeur oxygénée, le génie d'un peuple. Toujours, chansons anonymes, colportées, pétries à la demande comme un pain, et chansons « savantes » – de Charles d'Orléans à Janequin, de Ronsard à Lulli – ont cohabité et se sont mutuellement influencées. D'où la grâce des premières et la vigueur des secondes. Chansons de gaillard d'avant ou de cour de ferme et chansons de salon font le patrimoine.

Voyez à Strasbourg, l'hiver 1792. Chez les bons bourgeois de la ville, un officier compose le *Chant de guerre pour l'armée du Rhin*. Des Marseillais, qui montent à Paris mettre un peu de leur accent à la Révolution, l'entonnent. Et ça donne ce que ça donne : un chant patriotique, un hymne national ! Les longs chemins, aussi, font les grandes chansons.

Maintenant, la chanson est sur disque. Il n'est plus trop besoin de la collectionner sur partition ou de la recopier sur des cahiers. Elle a eu la radio ; désormais, elle a les clips.

Le disque, c'est la toile pour la chanson ; elle peut y prendre ses aises ou devenir miniature. Elle n'a plus besoin, pour être propulsée, d'être fredonnée par un maçon ou devant une limonade. On n'a plus trop besoin de l'apprendre pour la reproduire et la propager. Elle est, seulement, à entendre. Elle est majeure.

Quelqu'un se souvient que l'auteur du *Temps des cerises* est aussi celui de *Dansons la capucine* (dans sa version revendicative). Et, ici et là, on brode et on dérive sur les couplets du *Chant des partisans* (ce *Chant*, lui, d'auteurs identifiés, Kessel, Druon, et devenu de la tradition par fonction historique). Et c'est une autre tradition qui s'invente. Un autre folklore, pour tout dire.

Voici cent soixante-dix-sept chansons à prendre. Mettez-y vos rues, vos cités, vos peurs, vos mobs. En quelque sorte : chantez !

Louis Destrem

À la claire fontaine

À   la   clai - re fon - tai - ne   M'en   al - lant   pro - me - ner,

J'ai   trou - vé   l'eau si bel - le   Que   je   m'y   suis bai - gnée.

Il   y a long - temps que je t'ai - me, Ja - mais je ne   t'ou - blie - rai !

À la claire fontaine
M'en allant promener,
J'ai trouvé l'eau si belle
Que je m'y suis baignée.

Refrain
Il y a longtemps que je t'aime,
Jamais je ne t'oublierai !

Sous les feuilles d'un chêne
Je me suis fait sécher ;
Sur la plus haute branche
Le rossignol chantait.

Chante, rossignol, chante,
Toi qui as le cœur gai,
Tu as le cœur à rire...
Moi je l'ai à pleurer !

J'ai perdu mon ami,
Sans l'avoir mérité,
Pour un bouquet de roses
Que je lui refusai.

Je voudrais que la rose
Fût encore au rosier,
Et que mon doux ami
Fût encore à m'aimer.

À la volette

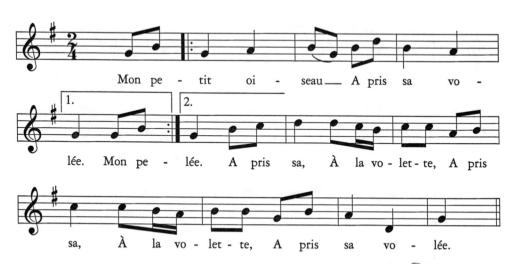

Mon pe - tit oi - seau ___ A pris sa vo -

1. lée. Mon pe - lée. 2. A pris sa, À la vo - let - te, A pris

sa, À la vo - let - te, A pris sa vo - lée.

Mon petit oiseau } *bis*	« Mon petit oiseau,	
A pris sa volée.	Où t'es-tu blessé ?	
A pris sa, } *bis*	Où t'es-tu,	
À la volette,	À la volette,	
A pris sa volée.	Où t'es-tu blessé ?	
Est allé se mettre	— Me suis cassé l'aile	— Je veux me soigner
Sur un oranger.	Et tordu le pied.	Et me marier.
Sur un o,	Et tordu,	Et me ma,
À la volette,	À la volette,	À la volette,
Sur un oranger.	Et tordu le pied.	Et me marier.
La branche a cassé,	— Mon petit oiseau,	« Me marier bien vite
L'oiseau est tombé.	Veux-tu te soigner ?	Sur un oranger.
L'oiseau est,	Veux-tu te,	Sur un o,
À la volette,	À la volette,	À la volette,
L'oiseau est tombé.	Veux-tu te soigner ?	Sur un oranger. »

Ah ! mon beau château

Ah ! mon beau châ - teau, Ma tant' ti - re li - re li - re, Ah ! mon beau châ - teau, Ma tant' ti - re li - re lo. Le nôtre est plus beau Ma tant' ti - re li - re li - re, Le nôtre est plus beau Ma tant' ti - re li - re lo.

Ah ! mon beau château,
Ma tant' tire lire lire,
Ah ! mon beau château,
Ma tant' tire lire lo.

« Le nôtre est plus beau…

— Nous le détruirons…

— Comment ferez-vous ?…

— Nous prendrons vos filles…

— Laquell' prendrez-vous ?…

— Celle que voici…

— Que lui donn'rez-vous ?…

— De jolis bijoux…

— Nous n'en voulons pas… »

ou

…*

— À coups de canon…

« Ou à coups d'bâton…

— Nous le referons…

« Encor' bien plus beau… »

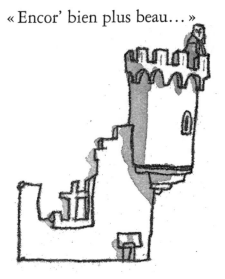

Ah ! vous dirai-je Maman ?

Ah ! vous di - rai - je Ma - man Ce qui cau - se mon tour -

ment ? Pa - pa veut que je rai - son - ne Comme u - ne gran - de per -

son-ne. Moi je dis que les bon - bons Va- lent mieux que la rai - son.

Version 1

Ah ! vous dirai-je Maman
Ce qui cause mon tourment ?
Papa veut que je raisonne
Comme une grande personne.
Moi je dis que les bonbons
Valent mieux que la raison.

Ah ! vous dirai-je Maman ? (suite)

Version 2

Ah ! vous dirai-je Maman
Ce qui cause mon tourment ?
Depuis que j'ai vu Sylvandre
Me regarder d'un air tendre,
Mon cœur dit à chaque instant :
Peut-on vivre sans amant ?

L'autre jour dans un bosquet,
De fleurs il fit un bouquet,
Il en para ma houlette
Me disant : « Belle brunette,
Flore est moins belle que toi,
L'Amour moins tendre que moi.

« Étant faite pour charmer,
Il faut plaire, il faut aimer ;
C'est au printemps de son âge
Qu'il est dit que l'on s'engage.
Si vous tardez plus longtemps,
On regrette ces moments. »

Je rougis, et, par malheur,
Un soupir trahit mon cœur.
Le cruel, avec adresse,
Profita de ma faiblesse ;
Hélas ! Maman, un faux pas
Me fit tomber dans ses bras.

Je n'avais pour tout soutien
Que ma houlette et mon chien ;
L'Amour voulant ma défaite,
Écarta chien et houlette.
Ah ! qu'on goûte de douceur
Quand l'Amour prend soin
du cœur.

Ainsi font, font, font

Ain-si font, font, font Les pe-ti-tes ma-rion-net-tes Ain-si font, font, font Trois p'tits tours et puis s'en vont. Les mains aux cô-tés, Sau-tez, sau-tez ma-rion-net-tes, Les mains aux cô-tés, Ma-rion-nettes re-com-men-cez.

Ainsi font, font, font
Les petites marionnettes
Ainsi font, font, font
Trois p'tits tours et puis
　　　　　　s'en vont.

Les mains aux côtés,
Sautez, sautez marionnettes,
Les mains aux côtés,
Marionnettes recommencez.

Ainsi font, font, font
Les petites marionnettes
Ainsi font, font, font
Trois p'tits tours et puis
　　　　　　s'en vont.

Alouette, gentille alouette

A - lou-et - te, gen-tille a - lou-et - te, A - lou-et - te, je te plu-me-rai. Je te plu-me-rai la tête, Je te plu-me-rai la tête Et la tête, Et la tête A - lou-ette, A - lou-ette Ah !

Refrain
Alouette, gentille alouette,
Alouette, je te plumerai.

Je te plumerai la tête *(bis)*
Et la tête *(bis)*
Alouette *(bis)*
Ah !

Refrain

Je te plumerai le bec
Et le bec
Et la tête
Alouette
Ah !

Refrain

Je te plumerai les yeux
Et les yeux
Et le bec
Et la tête
Alouette
Ah !

Refrain

Je te plumerai le cou
Et le cou
Et les yeux
Et le bec
Et la tête
Alouette
Ah !

Refrain

Alouette, gentille alouette (suite)

Je te plumerai les ailes
Et les ailes
Et le cou
Et les yeux
Et le bec
Et la tête
Alouette
Ah !

Refrain

Je te plumerai le dos
Et le dos
Et les ailes
Et le cou
Et les yeux
Et le bec
Et la tête
Alouette
Ah !

Refrain

Je te plumerai les pattes
Et les pattes
Et le dos
Et les ailes
Et le cou
Et les yeux
Et le bec
Et la tête
Alouette
Ah !

Refrain

Je te plumerai la queue
Et la queue
Et les pattes
Et le dos
Et les ailes
Et le cou
Et les yeux
Et le bec
Et la tête
Alouette
Ah !

Refrain

Arlequin dans sa boutique

Arlequin dans sa boutique
Sur les marches du palais,
Il enseigne la musique
À tous ses petits valets.

Refrain
Oui, Monsieur Po,
Oui, Monsieur Li,
Oui, Monsieur Chi,
Oui, Monsieur Nelle,
Oui, Monsieur Polichinelle.

Arlequin dans sa boutique (suite)

Il vend des bouts de réglisse
Meilleurs que votre bâton,
Des bonshommes en pain d'épice
Moins bavards que vous, dit-on.

Il a des pralines grosses
Bien plus grosses que le poing,
Plus grosses que les deux bosses
Qui sont dans votre pourpoint.

Il a de belles oranges
Pour les bons petits enfants,
Et de si beaux portraits d'anges
Qu'on dirait qu'ils sont vivants.

Il ne bat jamais sa femme,
Ce n'est pas comme chez vous,
Comme vous il n'a pas l'âme
Aussi dure que des cailloux.

Vous faites le diable à quatre
Mais pour calmer vot' courroux,
Le diable viendra vous battre,
Le diable est plus fort que vous.

Au clair de la lune

Au clair de la lu - ne, Mon a - mi Pier - rot, mot.
Prê - te - moi ta plu - me, Pour é - crire un

Ma chan - delle est mor - te, Je n'ai plus de feu,

Ou - vre - moi ta por - te, Pour l'a - mour de Dieu.

« Au clair de la lune,
Mon ami Pierrot,
Prête-moi ta plume
Pour écrire un mot.
Ma chandelle est morte,
Je n'ai plus de feu,
Ouvre-moi ta porte,
Pour l'amour de Dieu. »

Au clair de la lune,
Pierrot répondit :
« Je n'ai pas de plume
Je suis dans mon lit.
Va chez la voisine,
Je crois qu'elle y est,
Car dans la cuisine
On bat le briquet. »

Au clair de la lune,
L'aimable Lubin
Frappe chez la brune,
Ell' répond soudain :
« Qui frapp' de la sorte ? »
Il dit à son tour :
« Ouvrez votre porte,
Pour le Dieu d'amour. »

Au clair de la lune,
On n'y voit qu'un peu.
On cherche la plume,
On cherche du feu.
En cherchant d'la sorte,
Je n'sais c'qu'on trouva
Mais je sais qu'la porte
Sur eux se r'ferma.

Au feu, les pompiers !

Au feu, les pom-piers, V'là la mai-son qui brû-le ! Au feu,

les pom-piers, V'là la mai-son brû - lée ! C'est pas moi qui l'ai brû-lée,

C'est la can-ti - niè-re, C'est pas moi qui l'ai brû-lée, C'est le can-ti - nier.

Au feu, les pompiers,
V'là la maison qui brûle !
Au feu, les pompiers,
V'là la maison brûlée !

C'est pas moi qui l'ai brûlée,
C'est la cantinière,
C'est pas moi qui l'ai brûlée,
C'est le cantinier.

Au feu, les pompiers,
V'là la maison qui brûle !
Au feu, les pompiers,
V'là la maison brûlée !

Auprès de ma blonde

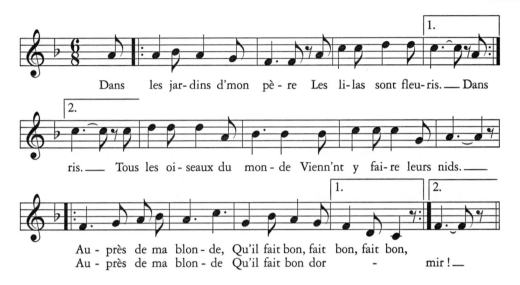

Dans les jardins d'mon père Les li-las sont fleu-ris. — Dans
ris. — Tous les oi-seaux du mon-de Vienn'nt y fai-re leurs nids. —
Au - près de ma blon-de, Qu'il fait bon, fait bon, fait bon,
Au - près de ma blon-de Qu'il fait bon dor - mir ! —

Dans les jardins d'mon père ⎱ bis
Les lilas sont fleuris. ⎰
Tous les oiseaux du monde
Vienn'nt y faire leurs nids.

Refrain
Auprès de ma blonde,
Qu'il fait bon, fait bon, fait bon,
Auprès de ma blonde
Qu'il fait bon dormir !

Tous les oiseaux du monde ⎱ bis
Vienn'nt y faire leurs nids ⎰
La caill', la tourterelle
Et la joli' perdrix.

La caill', la tourterelle
Et la joli' perdrix
Et ma joli' colombe
Qui chante jour et nuit.

Et ma joli' colombe
Qui chante jour et nuit,
Elle chante pour les filles
Qui n'ont pas de mari.

Elle chante pour les filles
Qui n'ont pas de mari.
Pour moi ne chante guère,
Car j'en ai un joli.

Auprès de ma blonde (suite)

Pour moi ne chante guère,
Car j'en ai un joli.
« Dites-nous donc, la belle,
Où donc est votr' mari ?

« Dites-nous donc, la belle,
Où donc est votr' mari ?
– Il est dans la Hollande,
Les Hollandais l'ont pris.

« Il est dans la Hollande,
Les Hollandais l'ont pris.
– Que donneriez-vous, belle,
Pour avoir votre ami ?

« Que donneriez-vous, belle,
Pour avoir votre ami ?
– Je donnerais Versailles,
Paris et Saint-Denis.

« Je donnerais Versailles,
Paris et Saint-Denis.
Les tours de Notre-Dame
Et l'clocher d'mon pays.

« Les tours de Notre-Dame
Et l'clocher d'mon pays.
Et ma joli' colombe,
Pour avoir mon ami. »

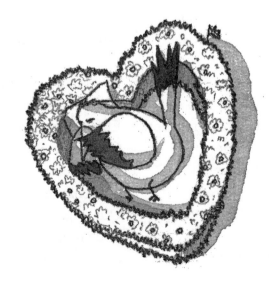

Aux marches du palais

Aux mar - ches du pa - lais — Aux mar-ches du pa - lais — Y a une tant bel - le fil- le, lon, la, Y a une tant bel - le fil - le.

Aux marches du palais *(bis)*
Y a une tant belle fille, lon, la,
Y a une tant belle fille.

Elle a tant d'amoureux *(bis)*
Qu'ell' ne sait lequel prendre,
                                    lon, la,
Qu'ell' ne sait lequel prendre.

C'est un p'tit cordonnier
Qu'a eu sa préférence...

Et c'est en la chaussant
Qu'il lui fit sa demande...

La bell' si tu voulais
Nous dormirions ensemble...

Dans un grand lit carré
Garni de toile blanche...

Aux quatre coins du lit
Un bouquet de pervenches...

Dans le mitan du lit
La rivière est profonde...

Tous les chevaux du roi
Pourraient y boire ensemble...

Et là nous dormirions
Jusqu'à la fin du monde.

Ballade à la lune

C'était dans la nuit brune,
Sur le clocher jauni
La lune *(bis)*
Comme un point sur un i.

Lune, quel esprit sombre
Promène au bout d'un fil
Dans l'ombre
Ta face et ton profil ?

N'es-tu rien qu'une boule ?
Qu'un grand faucheux bien gras
Qui roule
Sans pattes et sans bras ?

Est-ce un ver qui te ronge
Quand ton disque noirci
S'allonge
En croissant rétréci ?

Car tu vins, pâle et morne
Coller sur mes carreaux
Ta corne
À travers mes barreaux.

T'aimera le vieux pâtre
Seul, tandis qu'à ton front
D'albâtre
Ses dogues aboieront.

Ballade à la lune (suite)

T'aimera le pilote
Dans son grand bâtiment
Qui flotte
Sous le clair firmament !

Comme un ours à la chaîne
Toujours sous tes yeux bleus
Se traîne
L'océan monstrueux.

Et qu'il vente ou qu'il neige
Moi-même chaque soir
Que fais-je
Venant ici m'asseoir ?

Je viens voir à la brune,
Sur le clocher jauni
La lune
Comme un point sur un i.

Ban moin un ti bo
(Donne-moi un p'tit baiser)

Ban moin un ti bo (suite)
(Donne-moi un p'tit baiser)

Toc toc toc toc
« Qui frappe à ma fenêtr' ?
– C'est moin l'amou,
C'est moin pain doux sucré
Depuis deux heur' la pluie
Qu'a mouillé moin
Par pitié, par humanité,
Ouvrez la porte à moin. »

Refrain
Ban moin un ti bo, deux ti bo,
   trois ti bo, doudou,
Ban moin un ti bo, deux ti bo,
   trois ti bo, doudou,
Ban moin un ti bo, deux ti bo,
   trois ti bo,
Ban moin tout ça voulez pour
   soulager cœur moin.

Moin fait un charme
Pour te cha'mé, fillette
Moin réfléchi
Moyen de forc' pas bon
Moin prend charme-là
Moin jeté i en la mer
Si fille a aimé moin
Y a ma'ché derriè' moin.

Moin qu'a travail
Six jours dans la semain'
Trois jours pour moin
Trois jours pour doudou moin
Samedi arrivé
Béké a pas payé moin
Li fille prend poignard li
Pour li poignardé moin.

Quand tu iras
Un jour au cimetièr'
Tu trouveras
Trois pierres gravées mon nom
Sur ces trois pierres
Trois petit's fleurs fanées
La plus fanée des trois
C'est mon cœur qui brûle pour toi.

Biquette

Biquett' n'veut pas
Sortir du chou :

Refrain
Ah, tu sortiras, Biquette,
                    Biquette,
Ah! tu sortiras de ce chou-là !

On envoie chercher le chien,
Afin de mordre Biquette.
Le chien n'veut pas mordre
                    Biquette,
Biquette n'veut pas sortir
                    du chou !

On envoie chercher le loup
Afin de manger le chien.
Le loup n'veut pas manger
                    le chien,
Le chien n'veut pas mordre
                    Biquette,
Biquette n'veut pas sortir
                    du chou !

On envoie chercher l'bâton,
Afin de battre le loup.
L'bâton n'veut pas battre
                    le loup,

Biquette (suite)

Le loup n'veut pas manger
   le chien,
Le chien n'veut pas mordre
   Biquette,
Biquette n'veut pas sortir
   du chou !

On envoie chercher le feu
Afin de brûler l'bâton.
Le feu n'veut pas brûler l'bâton,
L'bâton n'veut pas battre
   le loup,
Le loup n'veut pas manger
   le chien,
Le chien n'veut pas mordre
   Biquette,
Biquette n'veut pas sortir
   du chou !

On envoie chercher de l'eau,
Afin d'éteindre le feu.
Mais l'eau n'veut pas éteindre
   le feu,
Le feu n'veut pas brûler l'bâton,
L'bâton n'veut pas battre
   le loup,
Le loup n'veut pas manger
   le chien,

Le chien n'veut pas mordre
   Biquette,
Biquette n'veut pas sortir
   du chou !

On envoie chercher le veau,
Pour qu'il puisse boire l'eau.
Mais le veau ne veut pas boire
   l'eau,
L'eau ne veut pas éteindre le feu,
Le feu n'veut pas brûler l'bâton,
L'bâton n'veut pas battre
   le loup,
Le loup n'veut pas manger
   le chien,
Le chien n'veut pas mordre
   Biquette,
Biquette n'veut pas sortir
   du chou !

On envoie chercher l'boucher,
Afin de tuer le veau.
L'boucher n'veut pas tuer
   le veau,
Le veau ne veut pas boire l'eau,
L'eau ne veut pas éteindre le feu,
Le feu n'veut pas brûler l'bâton,
L'bâton n'veut pas battre
   le loup,

Biquette (suite)

Le loup n'veut pas manger
      le chien,
Le chien n'veut pas mordre
      Biquette,
Biquette n'veut pas sortir
      du chou !

On envoie chercher le juge
Pour qu'il juge le boucher.
Le jug' ne veut pas juger
      l'boucher,
L'boucher n'veut pas tuer
      le veau,
Le veau ne veut pas boire l'eau,
L'eau ne veut pas éteindre le feu,
Le feu n'veut pas brûler l'bâton,
L'bâton n'veut pas battre
      le loup,
Le loup n'veut pas manger
      le chien,
Le chien n'veut pas mordre
      Biquette,
Biquette n'veut pas sortir
      du chou !

On envoie chercher le diable,
Pour qu'il emporte le juge.
Le diable veut bien emporter
      l'juge,

Le juge veut bien juger
      l'boucher,
L'boucher veut bien tuer
      le veau,
Le veau veut bien boire l'eau,
L'eau veut bien éteindre le feu,
Le feu veut bien brûler l'bâton,
L'bâton veut bien battre le loup,
Le loup veut bien manger
      le chien,
Le chien veut bien mordre
      Biquette,
Biquette veut bien sortir
      du chou !

Refrain
Ah ! tu es sortie, Biquette,
      Biquette,
Ah ! tu es sortie de ce chou-là !

Bon voyage, monsieur Dumollet

Bon voy - age, mon-sieur Du-mol - let, À Saint Ma -
age, mon-sieur Du-mol - let, Et re - ve -

1. 2.

lo dé - bar-quez sans nau - fra-ge, Bon voy - plaît. Mais si vous
nez si le pa - ys vous

al - lez voir la ca-pi - ta - le, Mé-fi-ez - vous des vo-leurs, des a -

mis, Des bil - lets doux, des coups, de la ca -

ba - le, Des pis - to - lets et des tor - ti - co - lis.

Refrain
Bon voyage, monsieur Dumollet,
À Saint-Malo débarquez sans naufrage,
Bon voyage, monsieur Dumollet,
Et revenez si le pays vous plaît.

Bon voyage, monsieur Dumollet (suite)

Mais si vous allez voir
    la capitale,
Méfiez-vous des voleurs,
    des amis,
Des billets doux, des coups,
    de la cabale,
Des pistolets et des torticolis.

Là, vous verrez, les deux mains
    dans les poches,
Aller, venir des sages
    et des fous,
Des gens bien faits, des tordus,
    des bancroches,
Nul ne sera jambé si bien
    que vous.

Des polissons vous feront bien
    des niches,
À votre nez riront bien
    des valets,
Craignez surtout les barbets,
    les caniches,
Car ils voudront caresser
    vos mollets.

L'air de la mer peut vous être
    contraire,
Pour vos bas bleus, les flots sont
    un écueil ;
Si ce séjour venait à vous
    déplaire,
Revenez-nous avec bon pied
    bon œil.

Bonjour, ma cousine

Bon- jour, ma cou - si_____ ne ! Bon- jour, mon cou - sin ger- main !

On m'a dit que vous m'ai- miez, Est - ce bien la vé - ri - té ?

Je n'm'en sou- cie guè_____ re, Je n'm'en sou- cie guè____ re.

Pas- sez par i - ci et moi par là, Au r'voir, ma cou - si____ ne.

« Bonjour, ma cousine !
— Bonjour, mon cousin germain !
— On m'a dit que vous m'aimiez,
Est-ce bien la vérité ?
— Je n'm'en soucie guère,
Je n'm'en soucie guère.
— Passez par ici et moi par là,
Au r'voir, ma cousine. »

Brave marin

Bra- ve ma - rin re- vient de guer——re Tout doux——— Bra- ve ma-

rin re- vient de guer——re Tout doux——— Tout mal chaus- sé, tout

mal vê- tu, Bra - ve ma- rin, d'où re- viens- tu ?—Tout doux———

Brave marin revient de guerre } *bis*
Tout doux…
Tout mal chaussé, tout mal vêtu,
« Brave marin, d'où reviens-tu ?
Tout doux…

– Madame, je reviens de guerre } *bis*
Tout doux…
– Apportez vite du vin blanc,
Que le marin boive en passant,
Tout doux… »

Brave marin (suite)

Brave marin se met à boire,
Tout doux…
Se met à boire et à chanter,
La belle hôtesse soupirait
Tout doux…

« Ah ! Dites-moi, la belle hôtesse,
Tout doux…
Regrettez-vous votre vin blanc
Que le marin boit en passant ?
Tout doux…

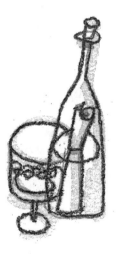

– C'n'est pas mon vin
        que je regrette,
Tout doux…
Mais c'est la mort de mon mari,
Monsieur, vous ressemblez à lui,
Tout doux…

– Ah ! Dites-moi, la belle hôtesse,
Tout doux…
Vous aviez de lui trois enfants,
Et j'en vois quatre maintenant,
Tout doux…

– On m'a écrit de ses nouvelles,
Tout doux…
Qu'il était mort et enterré,
Que je me suis remariée,
Tout doux… »

Brave marin vide son verre,
Tout doux…
Sans remercier, tout en pleurant,
S'en retourne à son bâtiment,
Tout doux…

C'est à boire

C'était cinq ou six bons bougres } bis
Sur la rout' de Longjumeau.
Ils entrèr'nt dans une auberge } bis
Pour y boir' du vin nouveau.

Refrain
C'est à boire, à boire, à boire,
C'est à boire qu'il nous faut !
C'est à boire, à boire, à boire,
C'est à boire qu'il nous faut !

Ils entrèr'nt dans une auberge
Pour y boir' du vin nouveau.

C'est à boire (suite)

Chacun fouilla dans sa poche
Quand fallut payer l'écot.

(On reprend les deux derniers vers.)

Le plus riche dans sa bourse
Ne trouva qu'un écu faux.

« Qu'on leur prenn' dit la patronne
Leurs capot's et leurs shakos.

—Ne fait's pas ça bonne hôtesse
Dir'nt les soldats tout penauds.

« Nous somm's partis à la guerre
Depuis six grands mois bientôt.

« Et nous n'avons pour fortune
Qu'nos capot's et nos shakos.

—Si vous revenez d'la guerre
Dit la patronne aussitôt :

« Videz donc, beaux militaires,
Tout le vin de mes tonneaux. »

C'est à Lauterbach

C'est à Lau-ter - bach, où l'on dan-se sans ces-se, Qu'il faut le di-
man-che nous voir — La val-se nous pous-se, la flû-te nous pres-se, Voyez pas-ser les ru-bans noirs. — La — la — la — la —
la — la — La — la — la la la la. —

C'est à Lauterbach, où l'on danse
                    sans cesse,
Qu'il faut le dimanche nous voir
La valse nous pousse, la flûte
                    nous presse,
Voyez passer les rubans noirs.

Refrain
La la la la la la
La la la la la la.

C'est à Lauterbach, où l'on danse
                    sans cesse,
Que mon fin soulier s'est perdu

Allons, savetier, puisqu'il faut
                    que je rentre,
Bien vite qu'il me soit rendu.

C'est à Lauterbach, où l'on danse
                    sans cesse,
Que j'ai perdu mon jeune cœur
J'y veux retourner, mais
                    en bell' mariée,
Je montrerai
                    qui a mon cœur.

C'est demain dimanche

C'est de-main di - man-che La fêt' à ma tan - te Qui ba-laie sa

cham - bre A-vec sa rob' blan - che. Ell' trouv' une o - ran - ge

L'é- pluch' et la man - ge. Oh ! la gross' gour - mande !

C'est demain dimanche
La fêt' à ma tante
Qui balaie sa chambre
Avec sa rob' blanche.
Ell' trouv' une orange
L'épluch' et la mange.
Oh ! la gross' gourmande !

C'est l'aviron

M'en re-ve-nant de la jo-lie Ro-chel-le, J'ai ren-con-tré trois jo-lies de-moi-sel-les. C'est l'a-vi-ron qui nous mè-ne, qui nous mè-ne, C'est l'a-vi-ron qui nous mène en rond.

M'en revenant de la jolie
   Rochelle, } *bis*
J'ai rencontré trois jolies
   demoiselles.

Refrain
C'est l'aviron qui nous mène,
   qui nous mène
C'est l'aviron qui nous mène
   en rond.

J'ai rencontré trois jolies
   demoiselles. } *bis*
J'ai point choisi mais j'ai pris
   la plus belle.

J'ai point choisi mais j'ai pris
   la plus belle.
J'l'y fis monter derrièr' moi
   sur ma selle.

J'l'y fis monter derrièr' moi
   sur ma selle.
J'y fis cent lieues sans parler
   avec elle.

J'y fis cent lieues sans parler
   avec elle.
Au bout d'cent lieues ell' me
   d'mandit à bouere.

C'est l'aviron (suite)

Au bout d'cent lieues ell' me
    d'mandit à bouere.
Je l'ai menée auprès
    d'un' fontaine.

Je l'ai menée auprès
    d'un' fontaine.
Quand ell' fut là, ell' ne voulut
    point bouere.

Quand ell' fut là, ell' ne voulut
    point bouere.
Je l'ai menée au logis
    de son père.

Je l'ai menée au logis
    de son père.
Quand ell' fut là, elle buvit
    à pleins verres.

Quand ell' fut là, elle buvit
    à pleins verres.
À la santé d'son père
    et de sa mère.

À la santé d'son père
    et de sa mère.
À la santé d'ses sœurs
    et de ses frères.

À la santé d'ses sœurs
    et de ses frères.
À la santé d'celui que son cœur
    aime.

C'est la cloche du vieux manoir

C'est la clo-che du vieux ma-noir, — Du vieux ma-noir,

Qui son-ne le re-tour du soir, Le re - tour du soir.

Ding', ding', dong' ! Ding', ding', dong' !

C'est la cloche du vieux manoir,
Du vieux manoir,
Qui sonne le retour du soir,
Le retour du soir.
Ding', ding', dong' !
Ding', ding', dong' !

*(Cette chanson se chante en canon
à deux voix.)*

This could be a good challenge for the Gr. 5s to sing in a round.

C'était Anne de Bretagne

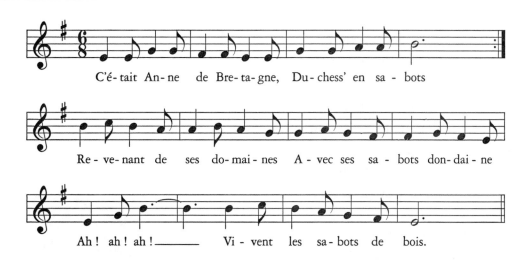

C'é-tait An-ne de Bre-ta-gne, Du-chess' en sa-bots

Re-ve-nant de ses do-mai-nes A-vec ses sa-bots don-dai-ne

Ah! ah! ah!_____ Vi-vent les sa-bots de bois.

C'était Anne de Bretagne, } bis
Duchess' en sabots
Revenant de ses domaines
Avec ses sabots dondaine
Ah! ah! ah! Vivent les sabots
            de bois.

Revenant de ses domaines, } bis
Avec ses sabots
Entourée de châtelaines,
Avec ses sabots dondaine…

Entourée de châtelaines..
Voilà qu'aux portes
         de Rennes…

Voilà qu'aux portes
         de Rennes…
L'on vit trois beaux capitaines…

L'on vit trois beaux capitaines…
Offrir à leur souveraine…

C'était Anne de Bretagne (suite)

Offrir à leur souveraine…
Un joli pied de verveine…

Un joli pied de verveine…
« S'il fleurit, tu seras reine…

« S'il fleurit, tu seras reine… »
Elle a fleuri, la verveine…

Elle a fleuri, la verveine…
Anne de France fut reine…

Anne de France fut reine…
Les Bretons sont dans la peine…

Les Bretons sont dans la peine…
Ils n'ont plus de souveraine…

Ça ira !

Ah ! ça i - ra, ça i-ra, ça i - ra, Les a-ris-to - crates à— la lan-

ter-ne Ah ! ça i ra, ça i ra, ça i ra, Les a-ris-to - crates on— les pen - dra !

Ah ! ça ira, ça ira, ça ira,
Les aristocrates à la lanterne !
Ah ! ça ira, ça ira, ça ira,
Les aristocrates on les pendra !

Cadet Rousselle

Cadet Rousselle a trois maisons *(bis)*
Qui n'ont ni poutres ni chevrons *(bis)*
C'est pour loger les hirondelles
Que direz-vous d'Cadet Rousselle?

Refrain
Ah! ah! ah! oui vraiment,
Cadet Rousselle est bon enfant.

Cadet Rousselle (suite)

Cadet Rousselle a trois habits
Deux jaunes et l'autre en papier
gris
Il met celui-là quand il gèle,
Ou quand il pleut et quand
il grêle.

Cadet Rousselle a trois beaux
yeux
L'un r'garde à Caen, l'autre
à Bayeux
Comme il n'a pas la vue bien
nette
Le troisième, c'est sa lorgnette.

Cadet Rousselle a une épée
Très longue mais toute rouillée
On dit qu'elle est ni bonn'
ni belle
C'est pour faire peur
aux hirondelles.

Cadet Rousselle a trois deniers
C'est pour payer ses créanciers
Quand il a montré ses ressources
Il les resserre dans sa bourse.

Cadet Rousselle a trois gros
chiens
L'un court au lièvre, l'autre
au lapin
L'troisième s'enfuit quand
on l'appelle
Comm' le chien de Jean
de Nivelle.

Cadet Rousselle a trois beaux
chats
Qui n'attaquent jamais les rats
Le troisième n'a pas de prunelle
Il monte au grenier
sans chandelle.

Cadet Rousselle (suite)

Cadet Rousselle a trois garçons
L'un est voleur, l'autre est fripon
Le troisième est un peu ficelle
Il ressemble à Cadet Rousselle.

Cadet Rousselle a marié
Ses trois filles dans trois
                    quartiers
Les deux premières ne sont pas
                    belles,
La troisièm' n'a pas de cervelle.

Cadet Rousselle s'est fait acteur
Comme Chénier s'est fait auteur
Au café quand il joue son rôle
Les aveugles le trouvent drôle.

Cadet Rousselle s'est fait
                    guerrier
À la façon de Dumouriez
Et quand il marche à la victoire
Il tourne le dos à la gloire.

Cadet Rousselle ne mourra pas,
Car avant de sauter le pas
On dit qu'il apprend
                    l'orthographe,
C'est pour faire son épitaphe.

Ce n'est qu'un au revoir

Faut-il nous quitter sans espoir,
Sans espoir de retour,
Faut-il nous quitter sans espoir
De nous revoir un jour?

Refrain
Ce n'est qu'un au revoir, mes frèr's,
Ce n'est qu'un au revoir,
Oui, nous nous reverrons, mes frèr's,
Ce n'est qu'un au revoir!

Ce n'est qu'un au revoir (suite)

Peut-on oublier ses amis,
Ne pas s'en souvenir ?
Peut-on oublier ses amis,
Et les beaux jours passés ?

Amis, à nos doux souvenirs,
À nos heures d'allégresse,
Vidons la coupe d'amitié
Avant de nous quitter.

Mon cher ami voici ma main
Et donne-moi la tienne.
Formons la chaîne d'amitié
Avant de nous quitter.

La belle amitié qui nous lie
Jamais ne passera !
Gardons toujours fidèle en nous
La mémoire du passé.

Formons de nos mains
        qui s'enlac'nt
Au déclin de ce jour,
Formons de nos mains
        qui s'enlac'nt
Une chaîne d'amour.

Unis par cette douce chaîne
Tous, en ce même lieu,
Unis par cette douce chaîne
Ne faisons point d'adieu.

Car Dieu qui nous voit
        tous ensemble
Et qui va nous bénir,
Car Dieu qui nous voit
        tous ensemble
Saura nous réunir.

Chantons la vigne

Plan-tons la vi-gne, La voi-là la jo-lie vi-gne, Vi-gni, vi-gnons, vi-

gnons le vin, La voi-là la jo-lie vi-gne à vin, La voi-là la jo-lie vi-gne !

Plantons la vigne,
La voilà la jolie vigne,
Vigni, vignons,
　　　vignons le vin,
La voilà la jolie vigne
　　　　à vin,
La voilà la jolie vigne !

De vigne en terre
La voilà la jolie terre,
Terri, terrons, terrons
　　　le vin,
La voilà la jolie terre
　　　　à vin,
La voilà la jolie terre !

De terre en plante...

De plante
　　en pousse...

De pousse
　　en feuille...

De feuille en fleur...

De fleur en grappe...

De grappe
　　en cueille...

De cueille en hotte...

De hotte en cuve...

De cuve en presse...

De presse en tonne...

De tonne
　　en cave...

De cave en perce...

De perce en cruche...

De cruche en verre...

De verre en trinque...

De trinque
　　en bouche...

De bouche
　　en ventre...

De ventre en terre...

De terre en plante...

51

Chantons pour passer le temps

Chan - tons pour pas-ser le temps Les a-mours pas-sées d'u-ne bel-le fil — le, Chan - tons pour pas-ser le temps Les a-mours pas-sées d'une fille de quinze ans. Aus-si - tôt qu'el-le fut pro - mi-se, Aus-si - tôt el - le chan-gea de mi — se Et prit l'ha - bit de ma-te-lot Pour— s'em-bar - quer à bord du na-vi — re Et prit l'ha-bit de ma-te - lot Pour— s'em-bar - quer à bord du vais - seau.

Chantons pour passer le temps (suite)

Chantons pour passer le temps
Les amours passées d'une belle
fille,
Chantons pour passer le temps
Les amours passées d'une fille
de quinze ans.
Aussitôt qu'elle fut promise,
Aussitôt elle changea de mise
Et prit l'habit de matelot
Pour s'embarquer à bord
du navire
Et prit l'habit de matelot
Pour s'embarquer à bord
du vaisseau.

Le capitaine du bâtiment
Était enchanté d'un si beau
jeune homme,
Le capitaine du bâtiment
Le fit appeler sur l'gaillard
d'avant.
« Beau mat'lot, ton joli visage,

Tes cheveux et ton joli corsage
Me font toujours me souvenant
D'une jeune beauté que j'ai tant
aimée,
Me font toujours me souvenant
D'une jeune beauté du port
de Lorient.

– Mon capitaine, assurément,
Vous me badinez, vous me faites
rire,
Je n'ai ni frère, ni parent
Et ne suis pas né au port
de Lorient.
Je suis né à la Martinique
Et même je suis enfant unique,
Et c'est un vaisseau hollandais
Qui m'a débarqué au port
de Boulogne,
Et c'est un vaisseau hollandais
Qui m'a débarqué au port
de Calais. »

Chantons pour passer le temps (suite)

Ils ont bien vécu sept ans
Sur le même bateau
      sans se reconnaître,
Ils ont bien vécu sept ans,
Se sont reconnus
      au débarquement.
« Puisqu'enfin l'amour
      nous rassemble
Nous allons nous marier
      ensemble,
L'argent que nous avons gagné,
Il nous servira
      dans notre ménage,
L'argent que nous avons gagné,
Il nous servira
      dans notre ménage. »

Celui qu'a fait cette chanson,
C'est le gars Camus, gabier
      de misaine,
Celui qu'a fait cette chanson,
C'est le gars Camus, gabier
      d'artimon.
Matelot, faut hisser d'la toile,
Au cabestan faut qu'tout
      l'monde y soye,
Et vire, et vire, vire donc,
Sans ça t'auras rien
      dedans ta gamelle,
Et vire, et vire, vire donc,
Sans ça t'auras pas d'vin
      dans ton bidon !

Chère Élise, cher Eugène

« Avec quoi faut-il chercher l'eau,
Chère Élise, chère Élise,
Avec quoi faut-il chercher l'eau ?
– Avec un seau, mon cher Eugène,
Cher Eugène, avec un seau.

– Mais le seau, il est percé,
Chère Élise, chère Élise,
Mais le seau, il est percé.
– Faut le boucher, mon cher Eugène,
Cher Eugène, faut le boucher.

Chère Élise, cher Eugène (suite)

— Avec quoi faut-il le boucher ?
— Avec d'la paille, mon cher
     Eugène.

— Mais la paille n'est pas coupée.
— Faut la couper, mon cher
     Eugène.

— Avec quoi faut-il la couper ?
— Avec une faux, mon cher
     Eugène.

— Mais la faux n'est pas affûtée.
— Faut l'affûter, mon cher
     Eugène.

— Avec quoi faut-il l'affûter ?
— Avec une pierre, mon cher
     Eugène.

— Mais la pierre n'est pas
     mouillée.
— Faut la mouiller, mon cher
     Eugène.

— Avec quoi faut-il la mouiller ?
— Avec de l'eau, mon cher
     Eugène.

— Avec quoi faut-il chercher
     l'eau ?

… »

Chevaliers de la Table ronde

Che-va - liers de la Ta-ble ron-de, Goû-tons voir si le vin est bon ___ Goû - tons voir oui, oui, oui, Goû-tons voir non, non, non, Goû- tons voir si le vin est bon. bon.

Chevaliers de la Table ronde
Goûtons voir si le vin est bon } bis

Goûtons voir oui, oui, oui,
Goûtons voir non, non, non,
Goûtons voir si le vin est bon. } bis

J'en boirai cinq à six bouteilles
Une femme sur mes genoux
Une femme, oui, oui, oui,
Une femme, non, non, non,
Une femme sur mes genoux.

Si je meurs je veux
          qu'on m'enterre
Dans la cave où y a
          du bon vin...

Les deux pieds contre la muraille
Et la têt' sous le robinet...

Et les quatre plus grands ivrognes
Porteront les quat' coins
          du drap...

Et si le tonneau se débonde
J'en boirai jusqu'à mon loisir...

Et s'il en reste quelques gouttes
Ce sera pour nous rafraîchir...

Sur ma tomb', je veux
          qu'on inscrive
Ici gît le Roi des buveurs...

Compère Guilleri

Il était un p'tit homme
Appelé Guilleri,
Carabi,
Il s'en fut à la chasse,
À la chasse aux perdrix,
Carabi.

Refrain
Toto carabo, titi carabi,
Compère Guilleri.
Te laiss'ras-tu, te laiss'ras-tu
Te laiss'ras-tu mouri'.

Compère Guilleri (suite)

Il s'en fut à la chasse,
À la chasse aux perdrix,
Carabi,
Il monta sur un arbre
Pour voir ses chiens couri',
Carabi.

(On reprend les trois derniers vers.)

La branche vint à rompre
Et Guilleri tombit,
Carabi.

Il se cassa la jambe
Et le bras se démit,
Carabi.

Les dames de l'hôpital
Sont arrivées au bruit,
Carabi.

L'une apporte un emplâtre,
L'autre de la charpie,
Carabi.

On lui banda la jambe
Et le bras lui remit,
Carabi.

Pour remercier ces dames,
Guilleri les embrassit,
Carabi.

Compère qu'as-tu vu ?

Com-pèr', qu'as-tu vu ? Com-mèr', j'ai bien vu : J'ai vu un gros

bœuf, Dan-ser sur des œufs Sans en rien cas - ser. Com-pèr', vous men - tez.

« Compère qu'as-tu
vu ?
– Commèr', j'ai bien
vu :
J'ai vu un gros bœuf,
Danser sur des œufs
Sans en rien casser.
– Compèr',
vous mentez.

« Compère qu'as-tu
vu ?
– Commèr', j'ai bien
vu :
J'ai vu une anguille,
Qui coiffait sa fille
En haut d'un clocher.
– Compèr',
vous mentez.

… J'ai vu
un' grenouille
Qui filait
sa qu'nouille
Au bord d'un fossé…

… J'ai vu une pie,
Qui gagnait sa vie
En f'sant
des chap'lets…

… J'ai vu
une mouche,
Qui s'rinçait
la bouche
Avec un pavé…

… J'ai vu une vache
Qu'était sur la glace
Dans l'cœur
de l'été…

… J'ai vu un cochon
Qui jouait du violon
Au milieu des prés…

… J'ai vu
un crapaud,
Qui montait en haut
L'épée au côté…

… J'ai vu un lézard,
Qu'affilait son dard
Pour faucher
son blé…

… J'ai vu un grand
loup
Qui plantait
ses choux
Dans son potager… »

Dame Tartine

Il é - tait une da-me Tar - ti-ne Dans un beau pa-lais de beurre frais. La mu-

raille é-tait de pra - li-ne, Le par - quet é-tait de cro-quets, La cham-bre à cou-

cher De crè-me de lait, Le lit de bis - cuit, Les ri-deaux d'a - nis.

Il était une dame Tartine
Dans un beau palais de beurre
frais.
La muraille était de praline,
Le parquet était de croquets,
La chambre à coucher
De crème de lait,
Le lit de biscuit,
Les rideaux d'anis.

Quand ell' s'en allait à la ville,
Elle avait un petit bonnet,
Les rubans étaient de pastilles,
Et le fond de bon raisiné ;
Sa petit' carriole
Était d'croquignoles,
Ses petits chevaux
Étaient d'pâtés chauds.

Elle épousa monsieur Gimblette
Coiffé d'un beau fromage blanc.
Son chapeau était de galette
Son habit de vol-au-vent.
Culotte en nougat,
Gilet de chocolat,
Bas de caramel,
Et souliers de miel.

Leur fille, la belle Charlotte,
Avait un nez de massepain,
De superbes dents de compote,
Des oreilles de craquelin.
Je la vois garnir
Sa robe de plaisirs
Avec un rouleau
De pâte d'abricots.

Dame Tartine (suite)

Le joli prince Limonade,
Bien frisé, vint faire sa cour,
Cheveux garnis de marmelade
Et de pommes cuites au four ;
Son royal bandeau
De petits gâteaux
Et de raisins secs
Portait au respect.

On frémit en voyant sa garde
De câpres et de cornichons ;
Armés de fusils de moutarde
Et de sabr' en pelur' d'oignons,
Pralin's et fondants
S'avancent en rang,
Et les petits-fours
Battent du tambour.

Sur un grand trône de brioches
Charlotte et le roi vont s'asseoir,
Les bonbons sortent
            de leurs poches
Depuis le matin jusqu'au soir ;
Les petits enfants,
Avant tout gourmands,
Se montrent ravis
D'être ainsi servis.

Mais hélas ! la fée Carabosse,
Jalouse et de mauvaise humeur,
Renversa d'un coup de sa brosse
Le palais sucré du bonheur.
Pour le rebâtir,
Donnez à loisir,
Donnez, bons parents,
Du sucre aux enfants.

Dans la forêt lointaine

Dans la fo-rêt loin-tai - ne, On en-tend le cou-

cou. Du haut de son grand chê - ne Il ré-pond au hi-

bou : Cou-cou, cou-cou, On en-tend le cou-cou.

Dans la forêt lointaine,
On entend le coucou.
Du haut de son grand chêne
Il répond au hibou :
Coucou, coucou,
On entend le coucou.

Dans les bois de Toulouse

Dans les bois de Tou - lou - se, Il y a des vo -

leurs. Dans leurs. Il y a des vo - leurs, per - lin, pin,

pin, per - li - ne, Il y a des vo - leurs, per - lin, pin, pin !

Dans les bois de Toulouse, } *bis*
Il y a des voleurs.

Il y a des voleurs perlin, pin,
pin, perline,
Il y a des voleurs perlin,
pin, pin !

Ils sont au moins cinquante
Cachés dans les fourrés.

Dans les bois de Toulouse (suite)

Cachés dans les fourrés perlin,
   pin, pin, perline,
Cachés dans les fourrés perlin,
   pin, pin !

Ils se disent entre eux :
« Ne vois-tu rien venir ?

– Je vois venir un homme,
Sur un cheval monté !

– Arrête ici, brave homme !
Et as-tu de l'argent ?

– J'en ai mes pleines poches,
Et puis plein mes deux gants !

– Alors donne ta bourse
Ou sinon je te tue.

– Tenez ! voici ma bourse,
Mais laissez-moi la vie ! »

Mais la maréchaussée
Fut vite prévenue.

Les gendarmes s'amènent
Montés sur des chevaux !

Dans les bois de Toulouse
Les voleurs furent pendus.

Dans les bois de Toulouse
Il n'y a plus d'voleurs.

Dans les prisons de Nantes

Dans les pri-sons de Nan-tes Il y a un pri-son - nier, il y a un pri-son-nier Que per-sonn' ne va voir Que la fill' du geô-lier La la la-la-la-lè-re La la la-la-la la.

Dans les prisons de Nantes
Il y a un prisonnier, *(bis)*
Que personn' ne va voir
Que la fill' du geôlier
La la lalalalère
La la lalala la.

Va lui porter à boire,
À boire et à manger *(bis)*
Et des chemises blanches
Quand il en veut changer…

Un jour il lui demande :
« Qu'est-ce qu'on dit de moué? *(bis)*
– Le bruit court par la ville
Que demain vous mourrez. »…

Tout's les cloches de Nantes
Se mirent à sonner. *(bis)*
« Las, si demain je meurs
Déliez-moi les pieds. »…

La fille était jeunette
Les pieds lui a lâchés. *(bis)*
Le galant fut alerte
Dans la Loire a sauté…

Dansons la capucine

Dan-sons la ca-pu-ci-ne Y a pas de pain chez nous Y en a chez la voi-

si-ne Mais ce n'est pas pour nous You!

Dansons la capucine
Y a pas de pain chez nous
Y en a chez la voisine
Mais ce n'est pas pour nous
You!

… Y a pas de vin chez nous…

… Y a pas d'habits chez nous…

… Y a pas de sel chez nous…

Dansons la capucine
Il y a d'la joie chez nous
Bien plus qu'chez la voisine
Car on y rit de tout
You!

Déjà mal mariée

Mon pèr' m'a ma - ri - ée   À un tail - leur de pier - res.

Le len - de - main d'mes   noces   M'en - voie - t'à la car - ri - ère, la

Dé - jà mal ma - riée, dé - jà   Dé - jà mal ma - riée,   dgé !

Mon père m'a mariée } bis
À un tailleur de pierres.
Le lendemain d'mes noces
M'envoie-t'à la carrière, la
Déjà mal mariée, déjà } bis
Déjà mal mariée, dgé !

Le lendemain d'mes noces
M'envoie-t'à la carrière
Et j'ai trempé mon pain
Dans le jus de la pierre, la
Déjà mal mariée, déjà
Déjà mal mariée, dgé !

… Par là vint à passer
Le curé du village…

… Bonjour, Monsieur l'curé
J'ai trois mots à vous dire…

… Hier, vous m'avez fait
                femme
Aujourd'hui fait's-moi fille !…

… De fille je fais femme
De femm' je n'fais point fille…

Derrière chez moi

Der-rièr' chez moi de-vi-nez ce qu'il y a? Der-rièr' chez moi de-vi-nez ce qu'il y a? L'y a un ar-bre, le plus bel ar-bre, Ar-bre du bois, pe-tit bois der-rièr' chez moi. Et la lon là lon lère et la lon là lon là Et la lon là lon lère et la lon là lon là!

Derrièr' chez moi devinez ce qu'il y a? *(bis)*
L'y a un arbre, le plus bel arbre,
Arbre du bois, petit bois derrièr' chez moi.

Refrain
Et la lon là lon lère et la lon là lon là *(bis)*

Derrière chez moi (suite)

Et sur cet arbre devinez
ce qu'il y a? *(bis)*
Y a un'branche, la plus belle
branche
Branche sur l'arbre, arbre
du bois,
Petit bois derrière chez moi.

Et sur cett'branche devinez
ce qu'il y a? *(bis)*
Y a une feuille…

Et sur cette feuille…
Y a un nid…

Et dans ce nid…
Y a une aile…

Et sur cette aile…
Y a une plume…

Et sur cette plume…
Y a un poil (poêle)…

Et dans ce poêle…
Y a un feu…

Et dans ce feu…
Y a un arbre…

Dodo, l'enfant do

Do - do, l'en-fant do, L'en-fant dor - mi - ra bien vi - te,

Do - do, l'en-fant do, L'en-fant dor - mi - ra bien-tôt.

Dodo, l'enfant do,
L'enfant dormira bien vite,
Dodo, l'enfant do,
L'enfant dormira bientôt.

Dors, min p'tit quinquin

Dors, min p'tit quin - quin, Min p'tit pou - chin, min gros ro - jin

Te m'fras du cha - grin, Si te n'dors point ch'qu'à d'main.

Ain - si l'aut' jour eun' pauv' din - tel - liè - re,
Qui d'puis tros quarts d'heu - re, n'fai - jot qu'brai - re,

In a - mi - clo - tant sin p'tit gar - chon Tâ - chot d'lin - dor - mir par

eun' can - chon. Ell' li di - jot : Min Nar - cis - se, D'main, t'a - ras du

pain n'é - pi - ce, Du choc à go - go, si t'es sache et qu'te fais do - do !

Dors, min p'tit quinquin (suite)

Refrain
« Dors, min p'tit quinquin,
Min p'tit pouchin, min gros
                         rojin
Te m'fras du chagrin,
Si te n'dors point ch'qu'à
                         d'main. »

Ainsi, l'aut' jour eun' pauv'
                         dintellière,
In amiclotant sin p'tit garchon
Qui d'puis tros quarts d'heure,
                         n'faijot qu'braire,
Tâchot d'lindormir par
                         eun' canchon.
Ell'li dijot : « Min Narcisse,
D'main, t'aras du pain n'épice
Du choc à gogo,
Si t'es sache et qu'te fais dodo !

« Et si te m'laich faire
                         eun' bonn' semaine,
J'irai dégager tin biau sarrau,
Tin patalon d'drap, tin giliet
                         d'laine…
Comme un p'tit milord te s'ras
                         farau !
J't'acat'rai, l'jour de l'ducasse
Un porichinell' cocasse,
Un turlututu,
Pour jouer l'air
                         du capiau-pointu…

« Nous irons dins l'cour
Jeannette-à-Vaques,
Vir les marionnett's. Comme
                         te riras,
Quand t'intindras dire :
"Un doup pou' Jacques !"
Pa' l'porichinell' qui parl'
                         magas.
Te li mettras din s'menotte,
Au lieu d'doupe, un rond
                         d'carotte !
It' dira merci !…
Pins' comme nous arons
                         du plaisi !…

Dors, min p'tit quinquin (suite)

« Et si par hasard sin maite
                                s'fâche,
Ch'est alors Narcisse,
                                que nous rirons !
Sans n'n'avoir invi', j'prindrai
                                m'n air mache
J'li dirai sin nom
                                et ses surnoms,
J'li dirai des faribolles
I m'in répondra des drôles ;
Infin un chacun
Verra deux pestac' au lieu d'un.

« Allons serr' tes yeux,
                                dors min bonhomme
J'vas dire eun' prière
                                à P'tit-Jésus
Pou' qu'i vienne ichi, pindant
                                tin somme,
T'fair' rêver qu'j'ai les mains
                                plein's d'écus,
Pour qu'i t'apporte
                                eun' coquille,
Avec du chirop qui guile
Tout l'long d'tin minton,
Te pourlèqu'ras tros heur's
                                de long !...

« L'mos qui vient,
                                d'saint'Nicolas ch'est l'fête.
Pour sûr, au soir, i viendra
                                t'trouver.
It' f'ra un sermon, et t'laich'ra
                                mette
In d'zous du ballot, un grand
                                painnier.
I l'rimplira, si tes sache,
D'séquois qui t'rindront
                                bénache,
San cha, sin baudet
T'invoira un grand martinet. »

Ni les marionnettes, ni l'pain
                                n'épice
N'ont produit d'effet.
                                Mais l'martinet
A vit' rappajé l'petit Narcisse,
Qui craignot d'vir arriver
                                l'baudet.
Il a dit s'canchon dormoire...
S'mèr' l'a mis
                                dins s'n ochennoire :
A r'pris sin coussin,
Et répété vingt fos che r'frain.

Doudou à moin

A - dieu ma - dras, a - dieu fou - lards, A - dieu rob' soie, a - dieu col - lier chou. Dou - dou à moin, li qu'a pa' ti, Hé - la, Hé - la, c'est pou' tou - jou' Dou - dou à moin, li qu'a pa' ti, Hé - la, hé - la,___ c'est pou'___ tou - jou' !

Adieu madras, adieu foulards,
Adieu rob'soie, adieu collier chou.
Doudou à moin, li qu'a pa'ti,
Héla, héla, c'est pou' toujou'
Doudou à moin, li qu'a pa'ti,
Héla, héla, c'est pou' toujou' !

« Bonjour, Monsieur
    le Gouverneu'
Moin veni' fair' un' tit' pétition
Pou' 'mander vous la permission
Pou laisser Doudou moin à moin.

– Non, non Mam'zell',
    il est trop tard
La consigne est déjà signée
Doudou à vous li qu'a pa'ti
Le navire est sur la bouée. »

Adieu madras, adieu foulards,
Adieu rob'soie, adieu collier chou.
Doudou à moin, li qu'a pa'ti,
Héla, héla, c'est pou' toujou'
Doudou à moin, li qu'a pa'ti,
Héla, héla, c'est pou' toujou' !

En passant par la Lorraine

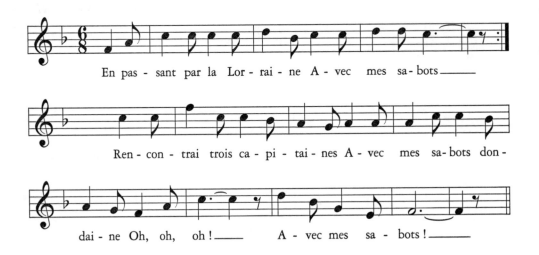

En pas - sant par la Lor - rai - ne A - vec mes sa - bots____

Ren - con - trai trois ca - pi - tai - nes A - vec mes sa - bots don -

dai - ne Oh, oh, oh !____ A - vec mes sa - bots !____

En passant par la Lorraine } *bis*
Avec mes sabots
Rencontrai trois capitaines
Avec mes sabots dondaine
Oh, oh, oh !
Avec mes sabots !

Rencontrai trois capitaines } *bis*
Avec mes sabots
Ils m'ont appelée vilaine…

Ils m'ont appelée vilaine
Avec mes sabots
Je ne suis pas si vilaine…

En passant par la Lorraine (suite)

Je ne suis pas si vilaine
Avec mes sabots
Puisque le fils du roi m'aime…

Puisque le fils du roi m'aime
Avec mes sabots
Il m'a donné pour étrennes…

Il m'a donné pour étrennes
Avec mes sabots
Un bouquet de marjolaine…

Un bouquet de marjolaine
Avec mes sabots
Je l'ai planté dans la plaine…

Je l'ai planté dans la plaine
Avec mes sabots
S'il fleurit je serai reine…

S'il fleurit je serai reine
Avec mes sabots
S'il y meurt je perds ma peine…

Entre le bœuf et l'âne gris

En-tre le bœuf et l'â - ne gris Dort, dort, dort, le pe - tit

fils... Mil - le an - ges di - vins, Mil - le sé - ra - phins

Vo - lent à l'en - tour De ce grand Dieu d'a - mour !

Entre le bœuf et l'âne gris
Dort, dort, dort le petit Fils...

Refrain
Mille anges divins,
Mille séraphins
Volent à l'entour
De ce grand Dieu d'amour !

Entre les bras de Marie,
Dort, dort, dort le petit Fils...

Entre les roses et les lys,
Dort, dort, dort le petit Fils...

Entre les pastoureaux jolis,
Dort, dort, dort le petit Fils...

Entre les deux

En - tre les deux, mon cœur ba - lan - ce Je ne sais
C'est à Co - rinne ma pré - fé - ren - ce Et à Zo -

pas la - quelle ai - mer des deux Ah! Zo - é!
é les cent coups de bâ - ton.

Ah! Zo - é! Si tu crois que j't'ai - me Mon p'tit cœur n'est pas fait pour

toi Il est fait pour cel - le que j'ai - me Et pas pour

cel - le que j'aim' pas. Em - bras - sez vot' bien ai - mée.

Entre les deux, mon cœur
balance
Je ne sais pas laquelle aimer
des deux
C'est à Corinne ma préférence
Et à Zoé les cent coups
de bâton.

Ah! Zoé! Ah! Zoé!
Si tu crois que j' t'aime

Mon p'tit cœur n'est pas fait
pour toi
Il est fait pour celle que j'aime
Et pas pour celle que j'aim'pas.
Embrassez vot' bien-aimée.

Fais dodo

Fais do-do, Co - lin mon p'tit frè-re,   Fais do-do, t'au - ras du lo-lo. Ma-

man est en haut Qui   fait du gâ-teau, Pa - pa est en bas Fait   du cho-co-lat.

Fais do-do, Co - lin mon p'tit frè-re,   Fais do-do, t'au - ras du lo-lo.

Fais dodo, Colin mon p'tit frère,
Fais dodo, t'auras du lolo.
Maman est en haut
Qui fait du gâteau,
Papa est en bas
Fait du chocolat
ou
Il coupe du bois.

Fais dodo, Colin mon p'tit frère,
Fais dodo, t'auras du lolo.

Fanchon

A - mis, il faut faire u - ne pau —— se : J'a-per-çois l'om-bre d'un bou-

chon. Bu - vons à l'ai-ma-ble Fan - chon, Chan - tons pour el - le quel - que

cho —— se. Ah ! Que son en - tre - tien est doux, Qu'elle a de mé - rite et de

gloi —— re. —— Elle ai - me à rire, elle aime à boi - re, —— Elle

ai - me à chan - ter com - me nous. Elle aime à rire, elle aime à

boire, Elle aime à chan - ter com - me nous. —— Elle aime à rire, elle aime à

boi - re, —— Elle aime à chan - ter com - me nous. Oui, com - me nous. ——

Fanchon (suite)

Refrain
Ah ! que son entretien est doux,
Qu'elle a de mérite et de gloire.
Elle aime à rire, elle aime à boire, ⎫
Elle aime à chanter comme nous. ⎬ *ter*
Oui, comme nous. ⎭

Amis, il faut faire une pause :
J'aperçois l'ombre d'un bouchon.
Buvons à l'aimable Fanchon,
Chantons pour elle
                    quelque chose.

Fanchon, quoique bonne
                        chrétienne,
Fut baptisée avec du vin :
Un Bourguignon fut
                    son parrain,
Une Bretonne sa marraine.

Fanchon préfère la grillade
À d'autres mets plus délicats.
Son teint prend un nouvel éclat
Quand on lui verse une rasade.

Si quelquefois elle est cruelle,
C'est quand on lui parle
                        d'amour ;
Mais moi je ne lui fais la cour
Que pour m'enivrer avec elle.

Frère Jacques

Frè-re Jac-ques, Frè-re Jac-ques, Dor-mez-vous ? Dor-mez-vous ?

Son-nez les ma-ti-nes ! Son-nez les ma-ti-nes ! Dig, ding, dong ! Dig, ding, dong !

Frère Jacques, Frère Jacques,
Dormez-vous ? Dormez-vous ?
Sonnez les matines ! Sonnez les matines !
Dig, ding, dong ! Dig, ding dong !

Gentil coquelicot

J'ai des-cen-du dans mon jar-din Pour y cueil-lir du ro-ma-rin Gen-til co-qu'li-cot, Mes-da-mes, Gen-til co-qu'li-cot nou-veau.

J'ai descendu dans mon jardin
J'ai descendu dans mon jardin
Pour y cueillir du romarin

Refrain
Gentil coqu'licot, mesdames,
Gentil coqu'licot nouveau.

Pour y cueillir du romarin *(bis)*
J'en avais pas cueilli trois brins

Qu'un rossignol vint
    sur ma main

Il me dit trois mots en latin

Que les hommes ne valent rien

Et les garçons encore
    bien moins

Des dames il ne me dit rien

Des demoisell's beaucoup
    de bien.

Gugusse

C'est Gu-gusse a-vec son vio-lon Qui fait dan - ser les fil-les, Qui fait dan-ser les fil-les, C'est Gu-gusse a-vec son vio-lon Qui fait dan-ser les filles Et les gar çons. Mon pa-pa Ne veut pas Que je dan-se, que je dan se, Mon pa-pa ne veut pas Que je dan-se la pol-ka. Il di-ra Ce qu'il vou-dra, Moi je dan-se, moi je dan-se Il di - ra Ce qu'il vou-dra, Moi je dan-se la pol-ka.

C'est Gugusse avec son violon
Qui fait danser les filles, (bis)
C'est Gugusse avec son violon
Qui fait danser les filles
Et les garçons.
Mon papa
Ne veut pas
Que je danse, que je danse,
Mon papa

Ne veut pas
Que je danse la polka.
Il dira
Ce qu'il voudra,
Moi je danse, moi je danse
Il dira
Ce qu'il voudra,
Moi je danse la polka.

Hans im Schnökeloch

Der Hans im Schnökeloch
Hett alles was er will!
Un was er hett Des will er nitt,
Un was er will Des hett er nitt!
Der Hans im Schnökeloch
Hett alles was er will!

Der Hans im Schnökeloch
Saat alles was er will!
Un was er saat Des denkt er nitt!
Un was er denkt des saat er nitt!
Der Hans im Schnökeloch
Saat alles was er will!

Le Jean du Schnokeloch
Il a tout ce qu'il veut !
Et ce qu'il a, il n'en veut pas !
Et ce qu'il veut, il ne l'a pas !
Le Jean du Schnokeloch
Il a tout ce qu'il veut !

Le Jean du Schnokeloch
Il dit tout ce qu'il veut !
Et ce qu'il dit, ne le croit pas
Et ce qu'il pense, ne le dit pas !
Le Jean du Schnokeloch
Il dit tout ce qu'il veut !

Hans im Schnökeloch (suite)

Der Hans im Schnökeloch
Düet alles was er will!
Un was er düet Des soll er nitt
Un was er soll des düet er nitt
Der Hans im Schnökeloch
Düet alles was er witt!

Le Jean du Schnokeloch
Il fait tout ce qu'il veut !
Et ce qu'il fait, ne le doit pas
Et ce qu'il doit, ne le fait pas !
Le Jean du Schnokeloch
Il fait tout ce qu'il veut !

Der Hans im Schnökeloch
Kann alles was er will!
Un was er kann Des macht er nitt
Un was er macht Gerot im pitt
Der Hans im Schnökeloch
Kann alles was er will!

Le Jean du Schnokeloch
Il peut tout ce qu'il veut !
Et ce qu'il peut, ne le fait pas
Et ce qu'il fait ne lui va pas !
Le Jean du Schnokeloch
Il peut tout ce qu'il veut !

Der Hans im Schnökeloch
Geht anne wo er will!
Un wo er isch Do bliet er nitt
Un wo er bliet Do g'fallt's em nitt!
Der Hans im Schnökeloch
Geht anne wo er will!

Le Jean du Schnokeloch
Va partout où il veut !
Et où il est, il ne reste pas
Et où il reste, il ne se plaît pas !
Le Jean du Schnokeloch
Va partout où il veut !

Il court, il court, le furet

Il court, il court, le fu - ret, Le fu - ret du bois, mes -
dames, Il court, il court, le fu - ret, Le fu - ret du bois jo -
li. Il est pas - sé par i - ci il re - pas - se - ra par là.

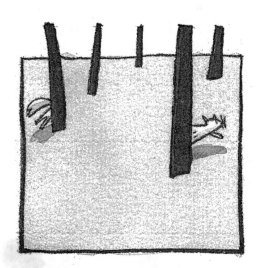

Il court, il court, le furet,
Le furet du bois, mesdames,
Il court, il court, le furet,
Le furet du bois joli.
Il est passé par ici,
Il repassera par là.

Il court, il court, le furet,
Le furet du bois, mesdames,
Il court, il court, le furet,
Le furet du bois joli.

Il est né le divin enfant

Il est né le di-vin en-fant, Jou-ez haut-bois, ré-son-nez mu-set-tes !

Il est né le di-vin en-fant, Chan-tons tous son a-vè-ne-ment ! De-puis

plus de qua-tre mille ans, Nous le pro-met-taient les pro-phè-tes,

De-puis plus de qua-tre mille ans, Nous at-ten-dions cet heu-reux temps.

Refrain
Il est né le divin enfant,
Jouez hautbois, résonnez
          musettes !
Il est né le divin enfant,
Chantons tous son avènement !

Depuis plus de quatre mille ans,
Nous le promettaient
          les prophètes,
Depuis plus de quatre mille ans,
Nous attendions cet heureux
          temps.

Il est né le divin enfant (suite)

Ah ! qu'il est beau, qu'il est
    charmant !
Ah ! que ses grâces sont
    parfaites !
Ah ! qu'il est beau, qu'il est
    charmant !
Qu'il est doux ce divin enfant !

Une étable est son logement,
Un peu de paille
    est sa couchette,
Une étable est son logement
Pour un dieu quel abaissement !

Partez, grands rois de l'Orient !
Venez vous unir à nos fêtes.
Partez, grands rois de l'Orient !
Venez adorer cet enfant !

Il veut nos cœurs, il les attend :
Il est pour faire leur conquête.
Il veut nos cœurs, il les attend :
Donnons-les-lui donc
    promptement !

Ô Jésus ! Ô Roi tout-puissant !
Tout petit enfant que vous êtes,
Ô Jésus ! Ô Roi tout-puissant,
Régnez sur nous entièrement !

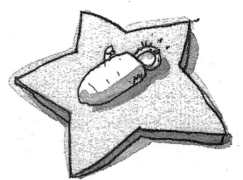

Il était un p'tit cordonnier

Il é-tait un p'tit cor-don-nier Il é-tait un p'tit cor-don-
nier Qui fai-sait fort bien les sou-liers Qui fai-sait fort bien les souliers. Il les fai-sait si jus-tes Qu'il n'y a-vait rien d'plus
jus-te. Il les fai-sait tout dret Pas plus qu'il n'en fal-lait.

Il était un p'tit cordonnier *(bis)*
Qui faisait fort bien les souliers. *(bis)*

Refrain
Il les faisait si justes
Qu'il n'y avait rien d'plus juste.
Il les faisait tout dret
Pas plus qu'il n'en fallait.

Quand à la ville il s'en allait *(bis)*
Son petit cuir il achetait. *(bis)*

Il était un p'tit cordonnier (suite)

Refrain
Il l'achetait si juste…

Dans une auberge il s'arrêtait
Trois bonnes gouttes il y buvait.

Quand à la maison il rentrait
Sa femme très fort il battait.

Tous les voisins
          qui l'entendaient

Aux deux gendarmes
          le disaient.

Dans la prison on l'emmenait
Trois grosses larmes il y versait.

Trois jours après
          quand il rentrait
Sa chère femme il embrassait.

Il l'embrassait si juste…
… Bien plus qu'il n'en fallait.

Il était un petit homme

Il était un petit homme, Pi - rou - et - te ca - ca-
hou - ète, Il é - tait un pe - tit hom - me, Qui a - vait
une drôle de mai - son Qui a - vait une drôle de mai - son.

Il était un petit homme,
Pirouette cacahouète
Il était un petit homme,
Qui avait une drôle de maison. *(bis)*

Sa maison est en carton,
Pirouette cacahouète,
Sa maison est en carton,
Ses escaliers sont en papier.

Celui qui montera,
Pirouette cacahouète,
Celui qui montera,
S'y cassera le bout du nez.

Il était un petit homme (suite)

Le facteur y est monté,
Pirouette cacahouète,
Le facteur y est monté,
Il s'est cassé le bout du nez.

On lui a raccommodé,
Pirouette cacahouète,
On lui a raccommodé
Avec du joli fil doré.

Le beau fil s'est cassé,
Pirouette cacahouète,
Le beau fil s'est cassé,
Le bout du nez s'est envolé.

Un avion à réaction,
Pirouette cacahouète,
Un avion à réaction
A rattrapé le bout du nez.

Mon histoire est terminée,
Pirouette cacahouète,
Mon histoire est terminée,
Messieurs, mesdames,
applaudissez !

Il était un petit navire

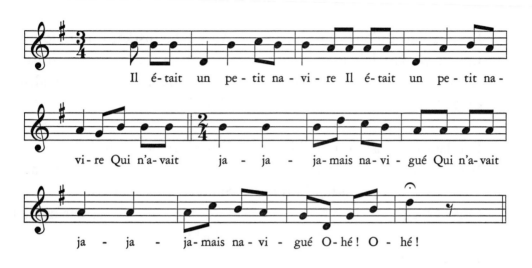

Il était un petit navire *(bis)*
Qui n'avait ja-ja-jamais navigué
                            (bis)
Ohé! Ohé!

Il partit pour un long voyage
Sur la mer Mé-Mé-Méditerranée
Ohé! Ohé!

Au bout de cinq à six semaines
Les vivres vin-vin-vinrent
                            à manquer
Ohé! Ohé!

On tira z'à la courte paille
Pour savoir qui-qui-qui sera
                            mangé
Ohé! Ohé!

Le sort tomba sur le plus jeune
C'est donc lui qui-qui-qui fut
                            désigné
Ohé! Ohé!

On cherche alors à quelle sauce
Le pauvre enfant-fant-fant sera
                            mangé
Ohé! Ohé!

Il était un petit navire (suite)

L'un voulait qu'on le mît à frire
L'autre voulait-lait-lait
                le fricasser
Ohé! Ohé!

Pendant qu'ainsi l'on délibère
Il monte en haut-haut-haut
            du grand hunier
Ohé! Ohé!

Il fait au ciel une prière
Interrogeant-geant-geant
              l'immensité
Ohé! Ohé!

Mais regardant la mer entière
Il vit des flots-flots-flots
           de tous côtés
Ohé! Ohé!

« Ô sainte Vierge,
         ô ma patronne
Cria le pau-pau-pauvre
            infortuné
Ohé! Ohé!

« Si j'ai péché, vite pardonne
Empêche-les-les-les
           de me manger
Ohé! Ohé! »

Au même instant un grand
                miracle
Pour l'enfant fut-fut-fut réalisé
Ohé! Ohé!

Des p'tits poissons
            dans le navire
Sautèrent par-par-par
            et par milliers
Ohé! Ohé!

On les prit, on les mit à frire
Le jeune mou-mou-mousse
              fut sauvé
Ohé! Ohé!

Si cette histoire vous amuse
Nous allons la-la-la
           recommencer
Ohé! Ohé!

Il était une bergère

Il était une bergère
Et ron et ron, petit patapon,
Il était une bergère
Qui gardait ses moutons, ronron,
Qui gardait ses moutons.

Elle fit un fromage
Et ron et ron, petit patapon,
Elle fit un fromage
Du lait de ses moutons, ronron,
Du lait de ses moutons.

Le chat qui la regarde
Et ron et ron, petit patapon,
Le chat qui la regarde
D'un petit air fripon, ronron,
D'un petit air fripon.

« Si tu y mets la patte
Et ron et ron, petit patapon,
Si tu y mets la patte
Tu auras du bâton, ronron,
Tu auras du bâton. »

Il n'y mit pas la patte,
Et ron et ron, petit patapon,
Il n'y mit pas la patte
Il y mit le menton, ronron,
Il y mit le menton.

La bergère en colère
Et ron et ron, petit patapon,
La bergère en colère
Tua son p'tit chaton, ronron,
Tua son p'tit chaton.

Il était une bergère (suite)

Elle fut à son père
Et ron et ron, petit patapon,
Elle fut à son père
Lui demander pardon, ronron,
Lui demander pardon.

« Mon père je m'accuse
Et ron et ron, petit patapon,
Mon père je m'accuse
D'avoir tué mon chaton, ronron,
D'avoir tué mon chaton.

– Ma fill' pour pénitence
Et ron et ron, petit patapon,
Ma fill' pour pénitence
Nous nous embrasserons, ronron,
Nous nous embrasserons.

– La pénitence est douce
Et ron et ron, petit patapon,
La pénitence est douce
Nous recommencerons, ronron,
Nous recommencerons. »

Il pleut, bergère

Il pleut, il pleut, ber - gè - re, Ren - tre tes blancs mou - tons.
Al - lons à ma chau - miè - re, Ber - gè - re, vite al - lons.
J'en - tends sur le feuil - la - ge, L'eau qui cou - le à grand bruit. Voi -
ci ve - nir l'o - ra - ge !... Voi - là l'é clair qui luit !

Il pleut, il pleut, bergère,
Rentre tes blancs moutons.
Allons à ma chaumière,
Bergère, vite allons.
J'entends sur le feuillage,
L'eau qui coule à grand bruit.
Voici venir l'orage !...
Voilà l'éclair qui luit !

Entends-tu le tonnerre ?
Il roule en approchant.
Prends un abri, bergère,
À ma droite en marchant.
Je vois notre cabane,
Et tiens, voici venir
Ma mère et ma sœur Anne
Qui vont l'étable ouvrir.

Il pleut, bergère (suite)

Bonsoir, bonsoir, ma mère,
Ma sœur Anne, bonsoir.
J'amène ma bergère
Près de vous pour ce soir.
Va te sécher, ma mie,
Auprès de nos tisons ;
Sœur, fais-lui compagnie…
Entrez, petits moutons.

Soignez bien, ô ma mère,
Son tant joli troupeau ;
Donnez plus de litière
À son petit agneau…
C'est fait… Allons près d'elle !
Ainsi donc, te voilà !…
En corset qu'elle est belle ;
Ma mère, voyez-la !…

Soupons ; prends cette chaise,
Tu seras près de moi ;
Ce flambeau de mélèze
Brûlera devant toi ;
Goûte de ce laitage ;
Mais tu ne manges pas,
Tu te sens de l'orage,
Il a lassé tes pas.

Eh bien, voilà ta couche,
Dors-y jusques au jour ;
Laisse-moi, sur ta bouche,
Prendre un baiser d'amour ;
Ne rougis pas, bergère,
Ma mère et moi, demain,
Nous irons chez ton père
Lui demander ta main.

Il pleut, il mouille

Il pleut, il mouil - le, C'est la fête à la gre - nouil - le,

La gre - nouill' a fait son nid Des - sous un grand pa - ra - pluie.

Il pleut, il mouille,
C'est la fête à la grenouille,
La grenouille a fait son nid
(*ou* La grenouill' est à l'abri)
Dessous un grand parapluie.

J'ai du bon tabac

J'ai du bon tabac dans ma ta - ba - tiè - re, J'ai du bon ta -
bac, tu n'en au - ras pas. J'en ai du fin et du
bien râ - pé, Mais ce n'est pas pour ton vi - lain nez.

J'ai du bon tabac
          dans ma tabatière,
J'ai du bon tabac,
          tu n'en auras pas.
J'en ai du fin et du bien râpé,
Mais ce n'est pas pour ton vilain
          nez.

Refrain
« J'ai du bon tabac
          dans ma tabatière,
J'ai du bon tabac,
          tu n'en auras pas. »

Ce refrain connu que chantait
          mon père
À ce seul couplet il était borné.
Moi, je me suis déterminé
À le grossir comme mon nez.

Un noble hétitier
          de gentilhommière
Recueille tout seul un fief
          blasonné.
Il dit à son frère puîné :
« Sois abbé, je suis ton aîné. »

J'ai du bon tabac (suite)

Un vieil usurier expert
                    en affaires,
Auquel par besoin
                    on est amené,
À l'emprunteur infortuné
Dit, après l'avoir ruiné :

Juges, avocats, entrouvrant
                    leur serre,
Au pauvre plaideur,
                    par eux rançonné,
Après avoir pateliné,
Disent, le procès terminé :

D'un gros financier la coquette
                    flaire
Le beau bijou d'or de diamants
                    orné.
Ce grigou, d'un air renfrogné,
Lui dit, malgré son joli nez :

Tel qui veut nier l'esprit
                    de Voltaire,
Est, pour le sentir,
                    trop enchifrené.
Cet esprit est trop raffiné
Et lui passe devant le nez.

Voilà huit couplets,
                    cela ne fait guère
Pour un tel sujet bien
                    assaisonné.
Mais j'ai peur qu'un priseur
                    mal né
Ne chante, en me riant au nez :

J'ai perdu le do de ma clarinette

J'ai per-du le do de ma cla - ri - net-te J'ai per-du le do de ma

cla - ri - net-te Ah ! si Pa - pa il sa-vait ça, tra-la-la, Ah ! si Pa-

pa il sa-vait ça, tra-la-la Il di - rait : o - hé ! Il di - rait : o - hé !

Tu n'con-nais pas la ca-den-ce, Tu n'sais pas com - ment l'on dan-se,

Tu n'sais pas dan - ser Au pas ca-den - cé. Au pas ca-ma-rade Au

pas ca-ma-rade Au pas, au pas, au pas. Au pas ca-ma-rade Au

pas ca-ma-rade Au pas, au pas, au pas. Au pas, au pas.

J'ai perdu le do de ma clarinette (suite)

J'ai perdu le do de ma clarinette
(bis)
Ah! si Papa il savait ça, tralala
(bis)
Il dirait : ohé! *(bis)*
Tu n'connais pas la cadence,
Tu n'sais pas comment
l'on danse,
Tu n'sais pas danser
Au pas cadencé.
Au pas camarade *(bis)*
Au pas, au pas, au pas.
Au pas camarade *(bis)*
Au pas, au pas, au pas.
Au pas, au pas.

ou

J'ai perdu le do de ma clarinette
(bis)
Ah! si Papa il savait ça, tralala
(bis)
Il dirait ohé!
Il chant'rait ohé!
Au pas camarade *(bis)*
Au pas, au pas, au pas.
Au pas camarade *(bis)*
Au pas, au pas, au pas.
Au pas, au pas.

J'avions reçu commandement

J'a- vions re- çu com- man - de - ment De par- tir pour la guer - re,
Je ne me sou-cions point pour- tant D'a- ban-don- ner not' mè - re,

Pour- tant, l'a ben fal- lu, J'ai pris mon sac et j'suis ve - nu,

Pour- tant, l'a ben fal- lu, J'ai pris mon sac et j'suis ve - nu.

J'avions reçu commandement
De partir pour la guerre,
Je ne me soucions point pourtant
D'abandonner not'mère
Pourtant, l'a ben fallu,
J'ai pris mon sac et j'suis venu. } *bis*

J'avions reçu commandement (suite)

Y m'ont donné un grand fusil,
Un sabre, une gibecière,
Une grande capote, un grand
                tapis
Pendant jusqu'au darrière
Et fallait s'tenir drait
Aussi drait qu'un pic un piquet.

Y en avait sur leurs chevaux
Qui faisaient bien deux mètres
Avec deux ou trois plumes
                d'zoziau
Plantés dessus leur tête
Et des poils d'artillon
Tout alentour de leurs talons.

Y m'ont placé en faction
Devant une citadelle
Ceux qui n'connaissions point
                mon nom
M'appelions « sentinelle ! »
À chaque chat qui passait
Fallait crier « quou qu'chi,
              quou qu'chai ».

Y m'ont mené dans un grand
                champ
Qu'appelions champ d'bataille
On s'étripait, on s'épiaulait
C'était pis qu'd'la volaille
Ma foi, la peur m'a pris
J'ai pris mon sac et j'suis parti.

Je me suis t'engagé

Je me suis t'en-ga - gé Pour l'a-mour d'u — ne bel - le C'est pas pour l'an — neau d'or Qu'à d'autr' elle a don - né Mais c'est pour un bai - ser Qu'el-le m'a re-fu - sé.

Je me suis t'engagé
Pour l'amour d'une belle
C'est pas pour l'anneau d'or
Qu'à d'autr' elle a donné
Mais c'est pour un baiser
Qu'elle m'a refusé.

Je me suis t'engagé
Dans l'régiment de France
Là où que j'ai logé
On m'y a conseillé
De prendre mon congé
Par-dessous mon soulier.

Dans mon chemin faisant
Je trouve mon capitaine
Mon capitaine me dit :
« Où vas-tu, Sans-Souci ?
– Je vas dans ce vallon
Rejoindre mon bataillon.

– Soldat, t'as déserté
Pour l'amour de ta belle.
Est-ce pour l'anneau d'or
Qu'au doigt je porte encor
Ou bien pour le baiser
Qu'elle t'a refusé ? »

Je me suis t'engagé (suite)

Auprès de ce vallon
Coule claire fontaine
J'ai mis mon habit bas
Mon sabre au bout d'mon bras
Et je m'suis battu là
Comme un vaillant soldat.

Au premier coup tiré
J'ai tué mon capitaine
Mon capitaine est mort
Et moi je vis encor
Mais dans quarante jours
Ce sera à mon tour.

Ceux-là qui me tueront
Ce sera mes camarades.
Ils me banderont les yeux
Avec un mouchoir bleu
Et me feront mourir
Sans me faire souffrir.

Que l'on mette mon cœur
Dans une serviette blanche,
Qu'on l'envoie au pays
Dans la maison d'ma mie
Disant : « Voici le cœur
De votre serviteur. »

Soldat de mon pays
Ne l'dis pas à ma mère,
Mais dis-lui bien plutôt
Que je suis à Bordeaux
Prisonnier des Anglais
Qu'elle m'reverra jamais.

Jean de la Lune

Par u-ne tiè-de nuit de prin-temps, Il y a bien de ce-la cent ans,

Que sous un brin de per - sil, sans bruit, Tout me-nu, na -

quit Jean de la Lu - ne ! Jean de la Lu - ne !

Par une tiède nuit
                    de printemps,
Il y a bien de cela cent ans,
Que sous un brin de persil,
                    sans bruit,
Tout menu, naquit
Jean de la Lune !
                    Jean de la Lune !

Il était gros comme
                    un champignon,
Frêle, délicat, petit, mignon,
Et jaune et vert comme
                    un perroquet,
Avait un bon caquet,
Jean de la Lune !
                    Jean de la Lune !

110

Jean de la Lune (suite)

Pour canne il avait
                    un cure-dent,
Clignait de l'œil, marchait
                    en boitant,
Et demeurait en toute saison
Dans un potiron,
Jean de la Lune !
                    Jean de la Lune !

On le voyait passer quelquefois,
Dans un coupé grand
                    comme une noix,
Et que le long de sentiers fleuris
Traînaient deux souris,
Jean de la Lune !
                    Jean de la Lune !

Quand il se risquait
                    à travers bois,
De loin, de près,
                    de tous les endroits,
Merles, bouvreuils
                    sur leurs mirlitons
Répétaient en rond :
« Jean de la Lune !
                    Jean de la Lune ! »

Si, par hasard, s'offrait
                    un ruisseau

Qui l'arrêtait sur place, aussitôt,
Trop petit pour le franchir
                    d'un bond,
Faisait d'herbe un pont,
Jean de la Lune !
                    Jean de la Lune !

Quand il mourut,
                    chacun le pleura,
Dans son potiron on l'enterra ;
Et sur sa tombe l'on écriva
Sur la croix : « Ci-gît
Jean de la Lune.
                    Jean de la Lune. »

Jean Petit qui danse

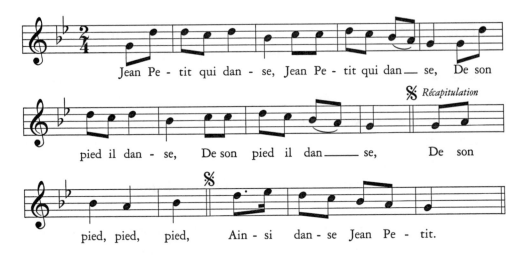

Jean Pe - tit qui dan - se, Jean Pe - tit qui dan ___ se, De son

Récapitulation

pied il dan - se, De son pied il dan ___ se, De son

pied, pied, pied, Ain - si dan - se Jean Pe - tit.

Jean Petit qui danse, *(bis)*
De son pied il danse, *(bis)*
De son pied, pied, pied,
Ainsi danse Jean Petit.

Jean Petit qui danse, *(bis)*
De sa tête il danse, *(bis)*
De sa tête, tête, tête,
De son pied, pied, pied,
Ainsi danse Jean Petit.

*(À chaque couplet, on ajoute
une partie du corps : de sa tête,
de son cou, de sa main,
de son doigt, de son coude,
de son genou.)*

Jeanneton prend sa faucille

Jean-ne-ton prend sa fau-cil-le, La-ri-ret-te, la-ri-ret——te, Jean-ne-ton prend sa fau-cil-le Pour al-ler cou-per les joncs, Pour al-ler cou-per les joncs.

Jeanneton prend sa faucille,
Larirette, larirette,
Jeanneton prend sa faucille
Pour aller couper les joncs,
Pour aller couper les joncs.

En chemin, elle rencontre,
Larirette, larirette,
En chemin, elle rencontre
Quatre jeunes et beaux garçons,
Quatre jeunes et beaux garçons.

Le premier, un peu timide…
Lui caressa le menton…

Le deuxième, un peu moins sage…
La poussa sur le gazon…

Le troisième, encore moins sage…
Souleva ses blancs jupons…

Ce que fit le quatrième…
N'est pas dit dans la chanson…

Mais pour le savoir, mesdames…
Allez donc couper des joncs!

L'alouette est sur la branche

L'a- lou- ett' est sur la bran—che Faites un pe-tit saut L'a-lou-

et-te, l'a-lou-et-te, Faites un pe-tit saut L'a-lou-et-te comm' il faut.

L'alouett' est sur la branche *(bis)*
Faites un petit saut
L'alouette, l'alouette,
Faites un petit saut
L'alouette comm' il faut.

Mettez vos bras en liance *(bis)*

Faites-nous trois pas de danse *(bis)*

Faites-nous la révérence *(bis)*

L'Amour de moy

L'a-mour de moy s'y est en-clo_____se De-dans un jo-li_____jar-di-net, Où croît la ro_____se et le_____mu-guet Et aus-si fait la pas-se-ro_____se.

Ce jar-din est bel_____et plai-sant Il est gar-ni de tou_____tes flours.
On y prend son a_____ba-te-ment Au-tant la nuit com-me_____le jour.

L'amour de moy s'y est enclose
En un joli jardinet,
Où croît la rose et le muguet
Et aussi fait la passerose.

Ce jardin est bel et plaisant
Il est garni de toutes flours,
On y prend son ébattement
Autant la nuit comme le jour.

Hélas ! il n'est si douce chose
Que de ce doux roussignolet,
Qui chante clair au matinet :
Quand il est las, il se repose.

Je la vis l'autre jour cueillant
En un vert pré la violette,
Et me sembla si avenant
Et de beauté la très parfaite.

Je la regardai une pose :
Elle était blanche comme lait,
Et douce comme un agnelet,
Vermeillette comme une rose.

L'Emp'reur, sa femme et le p'tit prince

Lun - di ma - tin, l'em - p'reur, sa femme et le p'tit prin- ce

Sont ve- nus chez moi, pour me ser- rer la pin- ce ; Comme j'é- tais par - ti,

Le p'tit prince a dit : Puis-que c'est ain - si, nous re- vien- drons mar - di !

Lundi matin, l'emp'reur,
    sa femme et le p'tit prince
Sont venus chez moi,
    pour me serrer la pince ;
Comme j'étais parti,
Le p'tit prince a dit :
« Puisque c'est ainsi,
Nous reviendrons mardi ! »

Mardi matin, l'emp'reur,
    sa femme et le p'tit prince
Sont venus chez moi,
    pour me serrer la pince ;
Comme j'étais parti,
Le p'tit prince a dit :
« Puisque c'est ainsi,
Nous reviendrons mercredi ! »

Mercredi matin...

Jeudi matin...

Vendredi matin...

Samedi matin...

Dimanche matin, l'emp'reur,
    sa femme et le p'tit prince
Sont venus chez moi,
    pour me serrer la pince ;
Comme j'n'étais pas là,
Le p'tit prince se vexa :
« Puisque c'est comme ça,
Nous ne reviendrons pas ! »

La Barbichette

Je te tiens, tu me tiens Par la bar-bi-chet - te Le pre -
mier de nous deux qui ri - ra Au - ra une ta - pette.

Je te tiens, tu me tiens
Par la barbichette
Le premier de nous deux qui rira
Aura une tapette.

La Bataille de Reischoffen

C'é - tait un soir la ba - taille de Rei - schof - fen

Il fal - lait voir les ca - va - liers char - ger !

C'était un soir la bataille
de Reischoffen
Il fallait voir les cavaliers
charger !
Cavaliers ! Chargez !

(Cette chanson s'accompagne d'un jeu mimé. À chaque reprise, on ajoute :
1. « Cavaliers ! Chargez ! D'une main ! »
2. « Cavaliers ! Chargez ! De deux mains ! »
Puis, un pied, deux pieds, etc. Tout le monde frappe en cadence d'une main ou de deux mains sur ses genoux, d'un ou de deux pieds par terre, etc.)

La Bonne Aventure ô gué

Je suis un pe - tit pou - pon De bon - ne fi - gu___re
Qui ai - me bien les bon - bons Et les con - fi - tu___res.

Si vous vou - lez m'en don - ner, Je sau - rai bien les man - ger.

La bonne a-ven - ture ô gué, La bonne a - ven - tu___re.

Je suis un petit poupon
De bonne figure
Qui aime bien les bonbons
Et les confitures.
Si vous voulez m'en donner
Je saurai bien les manger.
La bonne aventure ô gué,
La bonne aventure.

Je serai sage et bien bon
Pour plaire à ma mère.
Je saurai bien ma leçon
Pour plaire à mon père.
Je veux bien les contenter
Et s'ils veulent m'embrasser,
La bonne aventure ô gué,
La bonne aventure.

Lorsque les petits garçons
Sont gentils et sages
On leur donne des bonbons,
De belles images.
Mais quand ils se font gronder
C'est le fouet qu'il faut donner.
La triste aventure ô gué,
La triste aventure.

119

La Carmagnole

Madam' Veto avait promis *(bis)*
De faire égorger tout Paris, *(bis)*
Mais le coup a manqué,
Grâce à nos canonniers.

Refrain
Dansons la carmagnole,
Vive le son, vive le son,
Dansons la carmagnole,
Vive le son du canon !

Monsieur Veto avait promis *(bis)*
D'être fidèle à son pays, *(bis)*

Mais il y a manqué,
Ne faisons plus quartier.

Antoinette avait résolu
De nous fair' tomber sur le cul,
Mais son coup a manqué,
Elle a le nez cassé.

Son mari se croyant vainqueur,
Connaissait peu notre valeur,
Va Louis, gros paour,
Du Temple dans la tour.

La Carmagnole (suite)

Les Suisses avaient promis
Qu'ils feraient feu sur nos amis,
Mais comme ils ont sauté,
Comme ils ont tous dansé.

Quand Antoinette vit la tour
Ell' voulut faire demi-tour,
Elle avait mal au cœur
De se voir sans honneur.

Lorsque Louis vit fossoyer,
À ceux qu'il voyait travailler
Il disait **que p**our peu
Il était dans ce lieu.

La patriote a pour amis
Tous les bonnes gens du pays,
Mais ils se soutiendront
Tous au son du canon.

L'aristocrate a pour amis
Tous les royalist's à Paris,
Ils vous les soutiendront
Tout comm' de vrais poltrons.

La gendarm'rie avait promis
Qu'elle soutiendrait la patrie,
Mais ils n'ont pas manqué
Au son du canonnier.

Amis, restons toujours unis,
Ne craignons pas nos ennemis,
S'ils vienn'nt nous attaquer
Nous les ferons sauter.

Oui, je suis sans-culotte, moi
En dépit des amis du roi,
Vivent les Marseillais,
Les Bretons et nos lois.

Oui, nous nous souviendrons
                        toujours
Des sans-culottes des faubourgs
À leur santé, buvons,
Vivent ces francs-lurons.

La Casquette du père Bugeaud

As - tu vu la cas - quet - te, la cas - quet - te,

As - tu vu la cas - quett' du pèr' Bu - geaud ?

As-tu vu la casquette, la casquette,
As-tu vu la casquett' du pèr' Bugeaud ?

Oui j'ai vu la casquette, la casquette,
Oui j'ai vu la casquett' du pèr' Bugeaud.

Elle est faite la casquette, la casquette,
Elle est faite de poils de chameaux.

La Chèvre

Il é-tait u-ne chèvr', de fort tem-pé-ra-ment, Qui re-ve-nait d'Es-pagne et par-lait l'al-le-mand, — Bal-lot-tant d'la queue, Et gri-gno-tant des dents, Et bal-lot-tant d'la queue, Et gri-gno-tant des dents.

Il était une chèvr',
    de fort tempérament,
Qui revenait d'Espagne
    et parlait l'allemand,
Ballottant d'la queue,
Et grignotant des dents,
Et ballottant d'la queue,
Et grignotant des dents.

Ell' revenait d'Espagne
    et parlait l'allemand,
Elle entra par hasard
    dans le champ d'un Normand.

Elle entra par hasard
    dans le champ d'un Normand,
Ell' y vola un chou qui valait
    bien trois francs.

Ell' y vola un chou qui valait
    bien trois francs,
Et la queue d'un poireau
    qu'en valait bien autant.

La Chèvre (suite)

Et la queue d'un poireau qu'en valait bien autant,
Le Normand l'assigna devant le parlement.

Le Normand l'assigna devant le parlement,
La chèvre comparut et s'assit sur un banc.

La chèvre comparut et s'assit sur un banc,
Puis elle ouvrit le Code et regarda dedans.

Puis elle ouvrit le Code et regarda dedans,
Ell' vit que son affaire allait fort tristement.

Ell' vit que son affaire allait fort tristement,
Lors, elle ouvrit la porte et prit la clef des champs.

La Complainte de Mandrin

Nous é-tions vingt ou tren-te Bri-gands dans u-ne ban-de, Tous ha-bil-lés de blanc À la mod' des, vous m'en-ten-dez, Tous ha-bil-lés de blanc À la mod' des mar-chands.

Nous étions vingt ou trente
Brigands dans une bande,
Tous habillés de blanc
À la mod' des, vous m'entendez,
Tous habillés de blanc
À la mod' des marchands.

La première volerie
Que je fis dans ma vie,
C'est d'avoir goupillé
La bourse d'un, vous m'entendez,
C'est d'avoir goupillé
La bourse d'un curé.

J'entrai dedans sa chambre,
Mon Dieu qu'elle était grande,
J'y trouvai mille écus
Je mis la main, vous m'entendez,
J'y trouvai mille écus
Je mis la main dessus.

J'entrai dedans une autre,
Mon Dieu qu'elle était haute.
De robes et de manteaux
J'en chargeai trois,
                      vous m'entendez,
De robes et de manteaux
J'en chargeai trois chariots.

La Complainte de Mandrin (suite)

Je les portai pour vendre
À la foire en Hollande
J'les vendis bon marché
Ils m'avaient rien,
        vous m'entendez,
J'les vendis bon marché
Ils m'avaient rien coûté.

Ces messieurs de Grenoble
Avec leurs longues robes
Et leurs bonnets carrés
M'eurent bientôt,
        vous m'entendez,
Et leurs bonnets carrés
M'eurent bientôt jugé.

Ils m'ont jugé à pendre,
Que c'est dur à entendre,
À pendre et étrangler,
Sur la place du, vous m'entendez,
À pendre et étrangler
Sur la place du marché.

Monté sur la potence
Je regardai la France,
Je vis mes compagnons
À l'ombre d'un, vous m'entendez,
Je vis mes compagnons
À l'ombre d'un buisson.

Compagnons de misère
Allez dire à ma mère
Qu'elle ne m'reverra plus
J'suis un enfant, vous m'entendez,
Qu'elle ne m'reverra plus
J'suis un enfant perdu.

La *Danaé*

L'é - tait u - ne fré - ga - te, lon, la, L'é - tait u - ne fré - ga - te,

C'é - tait la *Da- na - é*. Lar- guez les ris Dans les bass' voi- les

C'é - tait la *Da- na - é* Lar- guez les ris Dans les hu- niers.

L'était une frégate, lon, la,
L'était une frégate,
C'était la *Danaé*.

Refrain
Larguez les ris
Dans les bass' voiles
C'était la *Danaé*
Larguez les ris
Dans les huniers.

À son premier voyage, lon, la,
À son premier voyage
La frégate a sombré.

Seul de tout l'équipage, lon, la,
Seul de tout l'équipage
Un gabier s'est sauvé.

Il aborde une plage, lon, la,
Il aborde une plage
Il savait bien nager.

Mais là sur le rivage, lon, la,
Mais là sur le rivage
Une belle éplorée.

La *Danaé* (suite)

« Pourquoi pleurer, la belle, lon, la,
Pourquoi pleurer, la belle,
Pourquoi si tant pleurer ?

– Je pleure mon avantage, lon, la,
Je pleure mon avantage
Dans la mer est tombé.

– Qu'aurai-je donc, la belle, lon, la,
Qu'aurai-je donc, la belle,
Si je vais le chercher ?

– Vous en ferai offrande, lon, la,
Vous en ferai offrande
Avec mon amitié. »

À la première plonge, lon, la,
À la première plonge
Gabier n'a rien trouvé.

À la centième plonge, lon, la,
À la centième plonge
Le pauvre s'est noyé.

Car jamais avantage, lon, la,
Car jamais avantage
Perdu n'est retrouvé.

La Légende de saint Nicolas

Ils é-taient trois pe-tits en-fants Qui s'en al-laient gla-ner aux champs. Tant sont al-lés, tant sont ve-nus Que sur le soir se sont — per-dus. Vinrent à pas-ser chez le bou-cher : — « Bou-cher, vou-drais-tu nous lo-ger ? »

Ils étaient trois petits enfants
Qui s'en allaient glaner
                aux champs.
Tant sont allés, tant sont venus
Que sur le soir se sont perdus
Vinrent à passer chez le boucher :
« Boucher, voudrais-tu
                nous loger ?

– Entrez, entrez petits enfants,
Y a de la place assurément ! »
Ils n'étaient pas plus tôt entrés
Que le boucher les a tués.

La Légende de saint Nicolas (suite)

Les a coupés en p'tits morceaux,
Mis au saloir comme pourceaux.

Saint Nicolas, au bout d'sept ans
Vint à passer devant ce champ ;
Alla frapper chez le boucher :
« Boucher, voudrais-tu me loger ?
– Entrez, entrez saint Nicolas,
Pour de la place il n'en manque
                              pas ! »

Il n'était pas plus tôt entré
Qu'il a demandé à souper.
« Voulez-vous un morceau
                       d'jambon ?
– Je n'en veux pas,
                il n'est pas bon !
– Voulez-vous un morceau
                         de veau ?
– Je n'en veux pas,
                il n'est pas beau ! »

« Du p'tit salé je veux avoir,
Qui a sept ans, qui est
                    dans l'saloir ! »

Quand le boucher entendit ça,
Hors de la porte il s'enfuya.
« Boucher, boucher,
ne t'enfuis pas !
Repens-toi ! Dieu t'pardonnera. »

Saint Nicolas alla s'asseoir
Dessus le bord de ce saloir.
« Petits enfants qui dormez là,
Je suis le grand saint Nicolas ! »
Et le grand saint leva
                       trois doigts ;
Les p'tits se lèvent tous les trois.

Le premier dit :
                « J'ai bien dormi. »
Le second dit : « Et moi aussi. »
Et le troisième répondit :
« Je croyais être au Paradis. »
Ils étaient trois petits enfants
Qui s'en allaient glaner
                        aux champs.

La Madelon

Pour le re-pos, le plai-sir du mi-li-tai-re, Il est là-bas à deux pas de la fo-

rêt, U-ne mai-son aux murs tout cou-verts de lier-re. « Aux Tour-lou-

roux », c'est le nom du ca-ba-ret. La ser-vante est jeune et gen-

til-le, Lé-gè-re comme un pa-pil-lon, Com-me son vin, son œil pé-til-le.

Nous l'ap-pe-lons la Ma-de-lon. Nous en rê-vons la nuit, nous y pen-sons le

jour. Ce n'est que Ma-de-lon, mais pour nous c'est l'a-mour.

Quand Ma-de-lon vient nous ser-vir à boi-
La Ma-de-lon pour nous n'est pas sé-vè-

re, Sous la ton-nelle on frô-le son ju-pon, Et cha-
re, Quand on lui prend la taille ou le men-ton, El-le

La Madelon (suite)

cun lui ra - conte une his - toi - re, Une his - toire à

rit, c'est tout l'mal qu'elle sait fai -

sa fa - çon._____ re. Ma-de - lon ! Ma-de - lon ! Ma-de - lon !

Pour le repos, le plaisir
              du militaire,
Il est là-bas à deux pas
              de la forêt,
Une maison aux murs
              tout couverts de lierre.
« Aux Tourlouroux »,
              c'est le nom du cabaret.
La servante est jeune et gentille,
Légère comme un papillon,
Comme son vin, son œil pétille.
Nous l'appelons La Madelon.
Nous en rêvons la nuit,
              nous y pensons le jour.
Ce n'est que Madelon,
              mais pour nous c'est l'amour.

Refrain
Quand Madelon vient nous servir
              à boire,
Sous la tonnelle on frôle
              son jupon,
Et chacun lui raconte
              une histoire,
Une histoire à sa façon.
La Madelon pour nous n'est pas
              sévère,
Quand on lui prend la taille
              ou le menton,
Elle rit, c'est tout l'mal
              qu'elle sait faire.
Madelon ! Madelon ! Madelon !

La Madelon (suite)

Nous avons tous au pays
                                 une payse
Qui nous attend
                          et que l'on épousera,
Mais elle est loin, bien trop loin
                          pour qu'on lui dise
Ce qu'on fera quand la classe
                          rentrera.
En comptant les jours on soupire,
Et quand le temps
                      nous semble long,
Tout ce qu'on ne peut pas
                      lui dire
On va le dire à Madelon.
On l'embrass' dans les coins.
        Ell' dit : « Veux-tu finir… »
On s'figur' que c'est l'autr',
            ça nous fait bien plaisir.

Un caporal en képi de fantaisie
S'en fut trouver Madelon
                     un beau matin.
Et fou d'amour, lui dit
                    qu'elle était jolie
Et qu'il venait pour lui demander
                        sa main.
La Madelon, pas bête, en somme,
Lui répondit en souriant :
« Et pourquoi prendrais-je
                    un seul homme
Quand j'aime tout un régiment.
Tes amis vont venir.
           Tu n'auras pas ma main,
J'en ai bien trop besoin
               pour leur verser du vin. »

La Marche des Rois

De bon ma-tin,—— J'ai ren-con-tré le train De trois grands

1. Rois qui al-laient en voy - a - ge, **2.** Rois des-sus le grand che - min.

Ve-naient d'a - bord Des gar-des du corps, Des gens ar-

1. més a-vec tren-te pe-tits pa—ges, **2.** més des-sus leurs just-au-corps.

De bon matin,
J'ai rencontré le train
De trois grands Rois
    qui allaient en voyage,
De bon matin,
J'ai rencontré le train
De trois grands Rois
    dessus le grand chemin.

Venaient d'abord
Des gardes du corps,
Des gens armés
    avec trente petits pages,
Venaient d'abord
Des gardes du corps,
Des gens armés
    dessus leurs justaucorps.

La Marche des Rois (suite)

Puis sur un char
Doré de toute part,
On voit trois rois
     modestes comme d'anges,
Puis sur un char
Doré de toute part,
Trois rois debout
     parmi les étendards.

Au fils de Dieu
Qui naquit en ce lieu
Ils viennent tous présenter
     leurs hommages,
Au fils de Dieu
Qui naquit en ce lieu
Ils viennent tous présenter
     leurs doux vœux.

L'étoile luit
Et les rois conduit,
Par longs chemins,
     devant une pauvre étable,
L'étoile luit
Et les rois conduit,
Par longs chemins,
     devant l'humble réduit.

De beaux présents,
Or, myrrhe et encens,
Ils vont offrir au maître
     tant admirable,
De beaux présents,
Or, myrrhe et encens,
Ils vont offrir
     au bienheureux enfant.

La Marseillaise

Al- lons, en - fants de la pa - tri — e, Le jour de gloire est ar- ri -

vé. Con- tre nous de la ty- ran - ni - e, L'é- ten - dard san- glant est le -

vé ! L'é- ten - dard — san- glant est le - vé ! En- ten- dez - vous dans les cam-

pa- gnes Mu - gir ces fé- ro- ces sol - dats ? Ils vien- nent jus- que dans nos

bras É- gor - ger nos fils, — nos com - pa- gnes. Aux ar — mes, ci- toy-

ens, for- mez — vos ba- tail - lons ! Mar - chons ! mar -

chons ! Qu'un sang im - pur — a - breu — ve nos sil - lons !

La Marseillaise (suite)

Allons, enfants de la patrie,
Le jour de gloire est arrivé.
Contre nous de la tyrannie,
L'étendard sanglant est levé ! *(bis)*
Entendez-vous
            dans les campagnes
Mugir ces féroces soldats ?
Ils viennent jusque dans nos bras
Égorger nos fils, nos compagnes.

Refrain
Aux armes, citoyens,
           formez vos bataillons !
Marchons ! marchons !
Qu'un sang impur abreuve
            nos sillons !

Que veut cette horde d'esclaves,
De traîtres, de rois conjurés ?
Pour qui ces ignobles entraves,

Ces fers dès longtemps préparés ?
            (bis)
Français ! pour nous,
            ah ! quel outrage !
Quels transports il doit exciter ?
C'est nous qu'on ose méditer
De rendre à l'antique esclavage !

Quoi ! ces cohortes étrangères
Feraient la loi dans nos foyers !
Quoi, ces phalanges mercenaires
Terrasseraient nos fiers guerriers !
            (bis)
Grand Dieu ! par des mains
            enchaînées
Nos fronts sous le joug
            se ploieraient ;
De vils despotes deviendraient
Les maîtres de nos destinées !...

137

La Marseillaise (suite)

Tremblez, tyrans !
          et vous, perfides,
L'opprobre de tous les partis,
Tremblez ! vos projets parricides
Vont enfin recevoir leur prix ! *(bis)*
Tout est soldat
          pour vous combattre
S'ils tombent, nos jeunes héros,
La France en produit de nouveaux
Contre vous tout prêts à se battre !

Français, en guerriers
          magnanimes,
Portez ou retenez vos coups !
Épargnez ces tristes victimes,
À regret s'armant contre nous. *(bis)*
Mais ces despotes sanguinaires,
Mais ces complices de Bouillé,
Tous ces tigres qui, sans pitié,
Déchirent le sein de leur mère !…

Amour sacré de la patrie
Conduis, soutiens nos bras
          vengeurs !
Liberté, liberté chérie,
Combats avec tes défenseurs ! *(bis)*
Sous nos drapeaux, que la victoire
Accoure à tes mâles accents !
Que tes ennemis expirants
Voient ton triomphe
          et notre gloire !

(Strophe des enfants)
Nous entrerons dans la carrière
Quand nos aînés n'y seront plus ;
Nous y trouverons leur poussière
Et la trace de leurs vertus. *(bis)*
Bien moins jaloux de leur survivre
Que de partager leur cercueil,
Nous aurons le sublime orgueil
De les venger ou de les suivre !

La Mère Michel

C'est la mèr' Michel qui a perdu son chat
Qui crie par la fenêtr' à qui le lui rendra
C'est le pèr' Lustucru qui lui a répondu :
« Allez la mèr' Michel vot' chat n'est pas perdu! »

Refrain
Sur l'air du tra la la *(bis)*
Sur l'air du tra dé ri dé ra
Et tra la la.

La Mère Michel (suite)

C'est la mèr' Michel qui lui a demandé :
« Mon chat n'est pas perdu, vous l'avez donc trouvé ? »
Et le pèr' Lustucru qui lui a répondu :
« Donnez une récompense, il vous sera rendu. »

Et la mèr' Michel lui dit : « C'est décidé !
Rendez-moi donc mon chat, vous aurez un baiser. »
Mais le pèr' Lustucru qui n'en a pas voulu
Lui dit : « Pour un lapin, votre chat est vendu. »

La Pêche aux moules (version 1)

À la pêche aux mou-les, mou-les, mou-les, Je n'veux plus al - ler, Ma-man.

Les gens de la vil- le, vil- le, vil- le, M'ont pris mon pa - nier, Ma-man.

(Refrain)
À la pêche des moules,
Je n'veux plus aller
Maman !
À la pêche des moules
Je ne veux plus aller.

Les garçons de Marennes
Me prendraient mon panier
Maman.
Les garçons de Marennes
Me prendraient mon panier.

Quand un' fois ils vous tiennent
Sont-ils de bons enfants
Maman ?
Quand un' fois ils vous tiennent
Sont-ils de bons enfants ?

Ils vous font des caresses
De petits compliments
Maman !
Ils vous font des caresses
De petits compliments.

If you just keep to the chorus (refrain), you can try this in a round. GR3 OR GR5

141

La Pêche aux moules (version 2)

(Refrain)
À la pêche aux moules, moules,
                moules,
Je n'veux plus aller, Maman.
Les gens de la ville, ville ville,
M'ont pris mon panier, Maman.

Jamais on n'a vu, vu, vu,
Jamais on n'verra, ra, ra,
La queue d'un' souris, ris, ris,
Dans l'oreill' d'un chat, chat,
                chat.

Jamais on n'a vu, vu, vu,
Jamais on n'verra, ra, ra,
Un chat aboyer, yer, yer
Quand un chien miaul'ra.

… Une puc' soulevant, vant,
                vant,
Un éléphant gras, gras, gras.

… Un p'tit cochon ros', ros',
                ros',
Mâcher du nougat, gat, gat.

… Un' poulett' qui couv',
              couv', couv',
Des œufs d'chocolat, lat, lat.

… Un' tortue marin', rin', rin',
Danser la samba, ba, ba.

… Un p'tit escargot, got, got,
Construir' une isba, ba, ba.

… Un cheval vapeur, peur,
                peur,
Champion d'un haras, ras, ras.

… Un mouton lainu, nu, nu,
S'tricoter des bas, bas, bas.

La Pibole

Au prin - temps, la mère a - geas - se Au prin -
temps, la mère a - geas - se Fait son nid dans un buis - son, La pi -
bo - le, Fait son nid dans un buis - son, Pi - bo - lons.

Au printemps,
  la mère ageasse *(bis)*
Fait son nid
  dans un buisson,
La pibole,
Fait son nid
  dans un buisson,
Pibolons.

Droit au bout
  de trois semaines *(bis)*
Il est né un ageasson,
La pibole,
Il est né un ageasson,
Pibolons.

Quand l'ageasson
  eut des ailes
Il vola sur les maisons.

Il tomba
  dans une église
Droit au mitan
  du sermon.

M'sieur l'curé dit :
  « Dominus(se).
– Vobiscum,
  dit l'ageasson.

– Quelle est la fille
  qui jacasse ?
Dit le curé
  aux garçons.

– M'sieur l'curé,
  c'est une ageasse
Ou bien
  un p'tit ageasson.

– Nous lui f'rons faire
  des guêtres
Et des petits caleçons.

« L'enverrons
  dans nos campagnes
Pour y prêcher
  la mission. »

La Ronde de Biron

Quand Bi - ron vou - lut dan - ser, Quand Bi - ron vou - lut dan - ser,
Ses sou - liers fit ap - por - ter, Ses sou - liers fit ap - por - ter,

* refrain

Son cha - peau tout rond, Vous dan - se - rez Bi ___ ron.

à intercaler à *

Sa che - mise de Ve - nise,

Quand Biron voulut danser, *(bis)*
Ses souliers fit apporter, *(bis)*
Son chapeau tout rond,
Vous danserez Biron.

Quand Biron voulut danser, *(bis)*
Ses souliers fit apporter, *(bis)*
Sa chemise de Venise,
Son chapeau tout rond,
Vous danserez Biron.

Son pourpoint fait au point…

Sa culotte à la mode…

Sa belle veste à paillettes…

Sa perruque à la turque…

Ses manchettes fort bien faites…

Son épée effilée…

144

La Rose au boué

Mon père ain - si qu'ma mè - re N'a - vaient fil-le que moué.

N'a - vaient fil-le que moué, La des-ti - née, la rose au boué, La rose au

boué N'a - vaient fil-le que moué, La des-ti - née, au boué.

Mon père ainsi qu'ma mère }
N'avaient fille que moué. } *bis*
N'avaient fille que moué
La destinée, la rose au boué
La rose au boué
N'avaient fille que moué
La destinée au boué.

Ils me mirent à l'école
À l'école du roué.

L'instituteur d'école
D'vint amoureux de moué.

À chaque coup d'aiguille
Ma mie, embrasse-moué.

C'est pas l'affair' des filles
D'embrasser les garçons.

Mais c'est l'affair' des filles
D'balayer les maisons.

Quand les maisons sont propres
Les amoureux y vont.

Ils y vont quatr' par quatre
En jouant du violon.

Quand les maisons sont sales
Les amoureux s'en vont.

Ils s'en vont quatr' par quatre
En tapant du talon.

La tour, prends garde !

La tour, prends gar-de La tour, prends gar-de De te lais-ser a-battre.

Les gardes
La tour, prends garde
(*bis*)
De te laisser abattre.

La tour
Nous n'avons garde
De nous laisser
abattre.

Le capitaine
J'irai me plaindre
Au duc de Bourbon.

La tour
Va-t'en te plaindre
Au duc de Bourbon.

Le capitaine
Mon duc, mon prince
Je viens à vos genoux.

Le duc
Mon colonel
Que me demandez-
vous ?

Le capitaine
Un de vos gardes
Pour abattre la tour.

Le duc
Allez mon garde
Pour abattre la tour.

La tour
Nous n'avons garde
De nous laisser
abattre.

Le capitaine
Mon duc, mon prince
Je viens à vos genoux.

Le duc
Mon colonel
Que me demandez-
vous ?

Le capitaine
Deux de vos gardes
Pour abattre la tour.

Le bourdon dit à la clochette

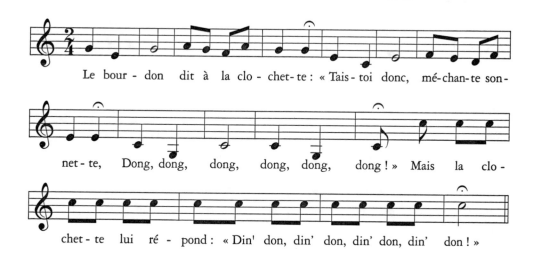

Le bour - don dit à la clo - chet - te : « Tais - toi donc, mé - chan - te son -

net - te, Dong, dong, dong, dong, dong, dong ! » Mais la clo -

chet - te lui ré - pond : « Din' don, din' don, din' don, din' don ! »

Le bourdon dit à la clochette :
« Tais-toi donc, méchante sonnette,
Dong, dong, dong, dong, dong, dong! »
Mais la clochette lui répond :
« Din' don, din' don, din' don, din' don! »

Le Carillonneur

Mau - dit sois - tu, ca - ril - lon - neur, Toi qui na - quis pour

mon mal - heur ! Dès le point du jour à la cloche il s'ac -

croche, Et le soir en - cor' ca - ril - lon - ne plus fort.

Quand son - ne - ra - t-on la mort du son - neur ?

Maudit sois-tu, carillonneur,
Toi qui naquis pour mon malheur !
Dès le point du jour à la cloche il s'accroche,
Et le soir encor' carillonne plus fort.
Quand sonnera-t-on la mort du sonneur ? *(bis)*

Le Chant des partisans

A - mi, en - tends - tu le vol noir des cor - beaux sur nos plai - nes,
A - mi, en - tends - tu les cris sourds du pa - ys qu'on en - chaî - ne,

O - hé par - ti - sans, ou - vri - ers et pa - y - sans, c'est l'a - lar - me.
Ce soir l'en - ne - mi con - naî - tra le prix du sang et des lar - mes.

Ami, entends-tu le vol noir
 des corbeaux sur nos plaines,
Ami, entends-tu les cris sourds
 du pays qu'on enchaîne,
Ohé partisans, ouvriers
 et paysans, c'est l'alarme.
Ce soir l'ennemi connaîtra
 le prix du sang et des larmes.

Montez de la mine ; descendez
 des collines, camarades !
Sortez de la paille les fusils,
 la mitraille, les grenades.
Ohé les tueurs, à la balle
 et au couteau, tuez vite.
Ohé saboteur, attention
 à ton fardeau : dynamite.

C'est nous qui brisons les barreaux
 des prisons pour nos frères.
La haine à nos trousses et la faim
 qui nous pousse, la misère.

Il y a des pays où les gens,
 au creux des lits, font des rêves.
Ici, nous vois-tu, nous on marche
 et nous on tue ; nous on crève.

Ici, chacun sait ce qu'il veut,
 ce qu'il fait quand il passe.
Ami, si tu tombes, un ami sort
 de l'ombre à ta place.
Demain du sang noir séchera
 au grand soleil sur les routes.
Chantez, compagnons,
 dans la nuit la liberté nous écoute.

Ami, entends-tu les cris sourds
 du pays qu'on enchaîne…
Ami, entends-tu le vol noir
 des corbeaux sur nos plaines
Oh oh oh oh oh oh oh oh…

Le Chant des Partisans
Paroles de Joseph Kessel et Maurice Druon.
Musique d'Anna Marly.
© Éditions Raoul Breton.

Le Chant du départ

La vic - toire en chan - tant nous ou - vre la bar - riè - re, La li - ber -

té gui — de nos pas. Et du Nord au Mi - di, la trom - pet — te guer -

riè - re A son - né l'heu - re des — com — bats. Trem - blez, — en - ne - mis de la

Fran - ce ! Rois i - vres de sang et d'or - gueil ! Le peu - ple sou - ve - rain — s'a —

van - ce : Ty - rans, des - cen - dez au cer - cueil ! La Ré - pu -

bli - que nous ap - pel - le, Sa - chons vaincre ou sa - chons pé - rir ; Un Fran -

çais doit vi — vre pour el - le Pour elle un Fran - çais doit mou - rir ! Un Fran -

çais doit vi — vre pour el - le Pour elle un Fran - çais doit mou - rir !

Le Chant du départ (suite)

Un député du peuple
La victoire en chantant
      nous ouvre la barrière,
La liberté guide nos pas.
Et du Nord au Midi,
      la trompette guerrière
A sonné l'heure des combats.
Tremblez, ennemis de la France !
Rois ivres de sang et d'orgueil !
Le peuple souverain s'avance :
Tyrans, descendez au cercueil !

Refrain
La République nous appelle,
Sachons vaincre ou sachons périr ;
Un Français doit vivre pour elle ⎫
Pour elle un Français doit mourir ! ⎭ *bis*

Une mère de famille
De nos yeux maternels
      ne craignez pas les larmes,
Loin de nous de lâches douleurs !
Nous devons triompher
      quand vous prenez les armes
C'est aux rois à verser des pleurs !
Nous avons donné la vie,
Guerriers, elle n'est plus à vous ;
Tous vos jours sont à la patrie ;
Elle est votre mère avant nous.

Deux vieillards
Que le fer paternel arme la main
      des braves !
Songez à nous, au champ de Mars ;
Consacrez dans le sang des rois
      et des esclaves
Le fer béni par vos vieillards ;
Et, rapportant sous la chaumière
Des blessures et des vertus,
Venez fermer notre paupière
Quand les tyrans ne seront plus !

Un enfant
De Barra, de Viala,
      le sort nous fait envie ;
Ils sont morts mais ils ont vaincu,
Le lâche accablé d'ans
      n'a pas connu la vie !
Qui meurt pour le peuple a vécu.
Vous êtes vaillants,
      nous le sommes,
Guidez-nous contre les tyrans :
Les républicains sont des hommes,
Les esclaves sont des enfants !

Le Chant du départ (suite)

Une épouse
Partez, vaillants époux,
   les combats sont vos fêtes ;
Partez, modèles de guerriers ;
Nous cueillerons des fleurs
   pour en ceindre vos têtes ;
Nos mains tresseront vos lauriers !
Et si le temple de mémoire
S'ouvrait à vos mânes vainqueurs,
Nos voix chanteront votre gloire,
Nos flancs porteront vos vengeurs.

Une jeune fille
Et nous, sœurs des héros,
   nous qui de l'hyménée
Ignorons les aimables nœuds,
Si, pour s'unir un jour
   à notre destinée,
Les citoyens forment un vœu ;
Qu'ils reviennent
   dans nos murailles,
Beaux de gloire et de liberté,

Et que leur sang dans les batailles
Ait coulé pour l'égalité.

Trois guerriers
Sur le fer devant Dieu,
   nous jurons à nos pères,
À nos épouses, à nos sœurs,
À nos représentants, à nos fils,
   à nos mères,
D'anéantir les oppresseurs :
En tous lieux dans la nuit
   profonde,
Plongeant l'infâme royauté,
Les Français donneront au monde
Et la paix et la liberté !

Chœur général
La République nous appelle,
Sachons vaincre ou sachons périr ;
Un Français doit vivre pour elle
Pour elle un Français doit mourir !

Le Corsaire *Le Grand Coureur*

Le cor-sair' *Le Grand Cou - reur* Est un na-vir' de mal - heur.
Quand il s'en va en croi - sière Pour al- ler chas- ser l'An - glais,
Le vent, la mer et la guer- re Tour-nent con - tre le Fran -
çais... Al- lons, les gars, gai, gai ! Al- lons, les gars, gaie - ment !

Le corsaire *Le Grand Coureur*
Est un navir' de malheur.
Quand il s'en va en croisière
Pour aller chasser l'Anglais,
Le vent, la mer et la guerre
Tournent contre le Français…

Refrain
Allons, les gars, gai, gai !
Allons, les gars, gaiement !

Il est parti de Lorient
Avec mer belle et bon vent,
Il cinglait bâbord amure,
Naviguant comme un poisson,
Un grain tombe sur sa mâture
Voilà l'corsaire en ponton !

153

Le Corsaire *Le Grand Coureur* (suite)

Il nous fallut remâter
Et vivement relinguer.
Tandis que l'ouvrage avance
On signale par tribord
Un navire d'apparence
À mantelets de sabords.

C'était un Anglais vraiment
À double rangée de dents,
Un marchand de mort subite.
Mais le Français n'a pas peur,
Au lieu de brasser en fuite
Nous le rangeons à l'honneur.

Les boulets pleuvent sur nous,
Nous lui rendons coup pour coup
Pendant que la barbe en fume
À nos braves matelots
Dans un gros bouchon de brume
Il nous échappe aussitôt.

Nos prises au bout de six mois
Ne se sont montées qu'à trois :
Un navire plein de patates
Plus qu'à moitié chaviré,
Un deuxième plein de savates,
Un autre de viande avariée.

Pour nous refaire des combats
Nous avions à nos repas
Des gourganes et du lard rance,
Du vinaigre au lieu de vin,
Des biscuits pourris d'avance
Et du camphre le matin.

Si l'histoire du *Grand Coureur*
A su vous toucher le cœur,
Faites-nous bonne manière
Et versez-nous largement
Du vin, du rhum, de la bière,
Et nous serons tous contents…

Le Mouton

Le mouton vit de l'herbe
Le papillon de fleur (*bis*)
Et toi z'et moi Marianne
Nous nous mourons de langueur
Et toi z'et moi Marianne
Nous nous mourons de langueur.

Le mouton dans le pré
Est en danger du loup (*bis*)
Et toi z'et moi Marianne
Sommes en danger d'amour. } *bis*

J'ai un copain de frère
Qui me fait enrager
Il va dire à ma mère
Que j'aime mon berger.

Berger de mon village
Reviens me secourir
Car ce serait dommage
De me laisser languir.

Nous sommes-t-ici z'ensemble
Restons-y bien longtemps
L'amour est agréable
Auprès de son aimant.

Le Pastouriau

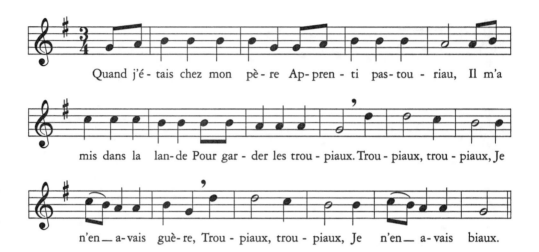

Quand j'é-tais chez mon pè-re Ap-pren-ti pas-tou-riau, Il m'a mis dans la lan-de Pour gar-der les trou-piaux. Trou-piaux, trou-piaux, Je n'en—a-vais guè-re, Trou-piaux, trou-piaux, Je n'en—a-vais biaux.

Quand j'étais chez mon père
Apprenti pastouriau,
Il m'a mis dans la lande
Pour garder les troupiaux.

Refrain
Troupiaux, troupiaux,
Je n'en avais guère,
Troupiaux, troupiaux,
Je n'en avais biaux.

Mais je n'en avais guère,
Je n'avais qu'trois agneaux
Et le loup de la plaine
M'a mangé le plus biau.

Il était si vorace
N'a laissé que la piau,
N'a laissé que la queue,
Pour mettre à mon chapiau.

Mais des os de la bête,
Me fis un chalumiau,
Pour jouer à la fête,
À la fêt' du hamiau.

Pour fair' danser l'village
Dessous le grand ormiau,
Et les jeun's et les vieilles,
Les pieds dans les sabiots.

Le Pont de Morlaix

C'est en pas-sant sur l'pont d'Mor-laix...
Haul a-way! Old fel-low a-way! La bell' Hé-lèn', j'ai
ren-con-trée... Haul a-way! Old fel-low a-way!

C'est en passant sur
    l'pont d'Morlaix…
Haul away!
Old fellow away!
La bell' Helèn',
    j'ai rencontrée…
Haul away!
Old fellow away!

Bien humblement
    j'l'ai saluée…
D'un doux sourir'
    ell' m'a r'mercié…

Mais j'ai bien vu
    qu' c'est charité…
Car c'est un' dam'
    de qualité…

C'est la fill' d'un
    cap'tain' nantais…
À matelot n'sera
    jamais…

Pour nous sont
    les garces des quais…
Qui vol', qui mentent,
    qui font tuer…

Je n'étal' plus,
    j'vas tout larguer…
J'vas fair' mon trou
    dans la salée…

Mat'lots, mon cœur
    est embrumé…
Buvons quand mêm'
    à sa beauté…

Encor' un coup
    pour étarquer…
Hiss' le grand foc,
    tout est payé…

Le roi a fait battre tambour

Le roi a fait battre tambour *(bis)*
Pour voir toutes ces dames,
Et la première qu'il a vue
Lui a ravi son âme.

« Marquis, dis-moi,
    la connais-tu ? *(bis)*
Qui est cett' joli' dame ? »
Et le marquis l'i a répondu :
« Sire roi, c'est ma femme ! »

— Marquis, tu es plus heureux
    qu'moi *(bis)*
D'avoir femme si belle ;
Si tu voulais me l'accorder,
Je couch'rais avec elle.

— Sir', si vous n'étiez pas le roi *(bis)*
J'en tirerais vengeance,
Mais puisque vous êtes le roi,
À votre obéissance.

— Marquis, ne te fâche
    donc pas, *(bis)*
T'auras ta récompense,
Je te ferai dans mes armées
Beau maréchal de France.

« Habille-toi bien proprement,
    (bis)
Coiffure à la dentelle.
Habille-toi bien proprement,
Comme une demoiselle. »

Le roi a fait battre tambour (suite)

Adieu, ma mi', adieu, mon cœur, *(bis)*
Adieu, mon espérance ;
Puisqu'il te faut servir le roi,
Séparons-nous d'ensemble. »

La reine a fait faire un bouquet *(bis)*
De belles fleurs de lys,
Et la senteur de ce bouquet
A fait mourir marquise.

Le Roi Arthur

Le roi Arthur avait trois fils,
Quel supplice !
Mais c'était un excellent roi,
Oui, ma foi !
Par lui ses fils fur'nt chassés,
Oui, chassés à coups de pied
Pour n'avoir pas voulu chanter.

Pour n'avoir pas voulu chanter,
ohé,
Pour n'avoir pas voulu chanter,
ohé !
Par lui ses fils fur'nt chassés,
Oui, chassés à coups de pied
Pour n'avoir pas voulu chanter.

Le Roi Arthur (suite)

Le premier fils se fit meunier,
C'est bien vrai !
Le second se fit tisserand,
Oui, vraiment !
Le troisième se fit commis
D'un tailleur de son pays,
Pour n'avoir pas voulu chanter.

Pour n'avoir pas voulu chanter,
                    ohé,
Pour n'avoir pas voulu chanter,
                    ohé !
Le troisième se fit commis
D'un tailleur de son pays,
Pour n'avoir pas voulu chanter.

Le premier fils volait du blé,
C'est bien laid !
Le second fils volait du fil,
C'est bien vil !
Et le commis du tailleur
Volait du drap à toute heure,
Pour en habiller ses deux sœurs.

Pour n'avoir pas voulu chanter,
                    ohé,
Pour n'avoir pas voulu chanter,
                    ohé !

Dans l'éclus' le meunier s'noya
Ha, ha, ha !
À son fil le tiss'rand s'pendit
Hi, hi, hi !
Et le diabl' mis en furie
Emporta le p'tit commis
Un rouleau de drap
                    sous son bras.

Pour n'avoir pas voulu chanter,
                    ohé,
Pour n'avoir pas voulu chanter,
                    ohé !

161

Le Roi Dagobert

Le bon roi Dagobert
Avait sa culotte à l'envers.
Le grand saint Éloi
Lui dit : « Ô mon roi !
Votre Majesté
Est mal culottée !
— C'est vrai, lui dit le roi,
Je vais la remettre à l'endroit. »

Le bon roi Dagobert
Fut mettre son bel habit vert.
Le grand saint Éloi
Lui dit : « Ô mon roi !
Votre habit paré
Au coude est percé !
— C'est vrai, lui dit le roi,
Le tien est bon, prête-le-moi ! »

Le bon roi Dagobert
Avait des bas rongés de vers.
Le grand saint Éloi
Lui dit : « Ô mon roi !
Vos deux bas cadets
Font voir vos mollets !
— C'est vrai, lui dit le roi,
Les tiens sont neufs, donne-les-moi ! »

Le bon roi Dagobert
Faisait peu sa barbe en hiver.
Le grand saint Éloi
Lui dit : « Ô mon roi !
Il faut du savon
Pour votre menton !
— C'est vrai, lui dit le roi,
As-tu deux sous ? Prête-les-moi ! »

Le Roi Dagobert (suite)

Le bon roi Dagobert
Avait sa perruqu' de travers.
Le grand saint Éloi
Lui dit : « Ô mon roi !
Que le perruquier
Vous a mal coiffé !
– C'est vrai, lui dit le roi,
Je prends sa tignasse pour moi ! »

Le bon roi Dagobert
Portait manteau court en hiver.
Le grand saint Éloi
Lui dit : « Ô mon roi !
Votre Majesté
Est bien écourtée !
– C'est vrai, lui dit le roi,
Fais-le rallonger de deux doigts ! »

Le roi faisait des vers
Mais il les faisait de travers.
Le grand saint Éloi
Lui dit : « Ô mon roi !
Laissez aux oisons
Faire des chansons !
– Eh bien, lui dit le roi,
C'est toi qui les feras pour moi ! »

Le bon roi Dagobert
Chassait dans la plaine d'Anvers.
Le grand saint Éloi
Lui dit : « Ô mon roi !
Votre Majesté
Est bien essoufflée !
– C'est vrai, lui dit le roi,
Un lapin courait après moi ! »

Le bon roi Dagobert
Allait à la chasse au pivert.
Le grand saint Éloi
Lui dit : « Ô mon roi !
La chasse aux coucous
Vaudrait mieux pour vous !
– Eh bien, lui dit le roi,
Je vais tirer ; prends garde à toi ! »

Le bon roi Dagobert
Se battait à tort, à travers.
Le grand saint Éloi
Lui dit : « Ô mon roi !
Votre Majesté
Se fera tuer !
– C'est vrai, lui dit le roi,
Mets-toi bien vite devant moi ! »

Le Roi Dagobert (suite)

Le bon roi Dagobert
Voulait conquérir l'univers.
Le grand saint Éloi
Lui dit : « Ô mon roi !
Voyager si loin
Donne du tintouin !
– C'est vrai, lui dit le roi,
Il vaudrait mieux rester
               chez soi ! »

Le bon roi Dagobert
Voulait s'embarquer sur la mer.
Le grand saint Éloi
Lui dit : « Ô mon roi !
Votre Majesté
Se fera noyer !
– C'est vrai, lui dit le roi,
On pourra crier : le roi boit ! »

Quand Dagobert mourut,
Le diable aussitôt accourut.
Le grand saint Éloi
Lui dit : « Ô mon roi !
Satan va passer,
Faut vous confesser !
– Hélas ! lui dit le roi,
Ne pourrais-tu mourir
              pour moi ? »

Le Roi Renaud

Le roi Re - naud de guer- re vint, Por- tant ses tri - pes en ses mains ; Sa mère é - tait sur le cré - neau, Qui vit ve - nir son fils Re - naud.

Le roi Renaud de guerre vint,
Portant ses tripes en ses mains ;
Sa mère était sur le créneau,
Qui vit venir son fils Renaud.

« Renaud, Renaud, réjouis-toi !
Ta femme est accouchée
                        d'un roi !
– Ni de la femme, ni du fils,
Je ne saurais me réjouir.

« Allez, ma mère, allez devant,
Faites-moi faire un beau lit blanc ;
Guère de temps n'y resterai :
À la minuit trépasserai.

« Mais faites-le faire ici-bas,
Que l'accouchée n'entende pas ! »
Et quand ce vint vers la minuit,
Le roi Renaud rendit l'esprit.

Il ne fut pas le matin jour,
Que les valets pleuraient toujours.
Il ne fut temps de déjeuner,
Que les servantes ont pleuré.

« Ah ! dites-moi, mère m'amie,
Que pleurent nos valets ici ?
– Ma fille, en baignant
                        nos chevaux,
Ont laissé noyer le plus beau.

– Et pourquoi donc, mère m'amie,
Pour un cheval pleurer ainsi ?
Quand le roi Renaud reviendra,
Plus beaux chevaux ramènera.

« Ah ! dites-moi, mère m'amie,
Que pleurent nos servantes ici ?
– Ma fille, en lavant nos linceuls,
Ont laissé aller le plus neuf.

Le Roi Renaud (suite)

– Et pourquoi donc, mère m'amie,
Pour un linceul pleurer ainsi ?
Quand le roi Renaud reviendra,
Plus beaux linceuls on brodera.

« Ah ! dites-moi, mère m'amie,
Qu'est-ce que j'entends cogner ici ?
– Ma fille, ce sont
                les charpentiers
Qui raccommodent le plancher.

– Ah ! dites-moi, mère m'amie,
Qu'est-ce que j'entends
                sonner ici ?
– Ma fille, c'est la procession
Qui sort pour les rogations.

– Ah ! dites-moi, mère m'amie,
Que chantent les prêtres ici ?
– Ma fille, c'est la procession
Qui fait le tour de la maison. »

Or, quand ce fut pour relever,
À la messe elle voulut aller ;
Et quand ce fut passé huit jours,
Elle voulut faire ses atours.

« Ah ! dites-moi, mère m'amie,
Quel habit prendrai-je
                aujourd'hui ?
– Prenez le vert, prenez le gris,
Prenez le noir pour mieux choisir.

– Ah ! dites-moi, mère m'amie,
Ce que ce noir-là signifie ?
– Femme qui relève d'enfant,
Le noir lui est bien plus séant. »

Mais quand elle fut parmi
                les champs,
Trois pastoureaux allaient disant :
« Voilà la femme de ce seignour
Que l'on enterra l'autre jour ! »

« Ah ! dites-moi, mère m'amie,
Que disent ces pastoureaux-ci ?
– Ils disent d'avancer au pas,
Ou que la messe n'aura pas. »

Quand elle fut dans l'église entrée,
Le cierge on lui a présenté ;
Aperçut, en s'agenouillant,
La terre fraîche sous son banc.

Le Roi Renaud (suite)

« Ah! dites-moi, mère m'amie,
Pourquoi la terre est fraîche ici ?
– Ma fille, ne puis plus le celer :
Renaud est mort et enterré.

– Renaud ! Renaud,
              mon réconfort !
Te voilà donc au rang des morts !
Divin Renaud, mon réconfort,
Te voilà donc au rang
                  des morts !

« Puisque le roi Renaud est mort,
Voici les clefs de mon trésor,
Prenez mes bagues et mes joyaux,
Nourrissez bien le fils Renaud !

« Terre, ouvre-toi !
              Terre, fends-toi !
Que j'aille avec Renaud
              mon roi ! »
Terre s'ouvrit, terre fendit
Et ci fut la belle engloutie.

167

Le Sire de Framboisy

C'é-tait l'his-toi - re du sir' de Fram-boi-sy, C'é-tait l'his-toi - re du sir' de Fram-boi-sy, Et tra, et tra, et tra, la la la, Et tra, et tra, et tra, la la la. ___

C'était l'histoire du sir' de Framboisy, *(bis)*
Et tra, et tra, et tra, la la la. *(bis)*

Avait pris femme, la plus bell' du pays
Et tra, et tra, et tra, la la la.

La prit trop jeune, bientôt s'en repentit.

Partit en guerre afin qu'elle mûrit.

Revint de guerre après cinq ans et d'mi.

N'trouva personne de la cave au chenil.

App'la la belle trois jours et quatre nuits.

Un grand silence, hélas, lui répondit.

Le Sire de Framboisy (suite)

Le pauvre sire courut dans tout Paris.

Trouva la dame, dans un bal, à Clichy.

« Corbleu, princesse, que faites-vous ici ?

– Voyez, je danse avecque mes amis. »

Dans son carrosse, la r'mèn' à Framboisy.

Il l'empoisonne avec du vert-de-gris.

Et sur sa tombe, il sema du persil.

De cette histoire, la moral', la voici :

À jeune femme, il faut jeune mari !

Le Temps des cerises

Quand nous chan - te - rons le temps des ce - ri - ses, Et gai ros - si - gnol, et mer - le mo - queur Se - ront tous en fê——te ! Les bel - les au - ront la fo - lie en tê - te Et les a - mou - reux, du so - leil au cœur. — Quand nous chan - te - rons le temps des ce - ri - ses, Sif - fle - ra bien mieux le mer - le mo - queur ! ——

Quand nous chanterons le temps
     des cerises,
Et gai rossignol, et merle
     moqueur
Seront tous en fête !
Les belles auront la folie en tête
Et les amoureux, du soleil
     au cœur.
Quand nous chanterons le temps
     des cerises,
Sifflera bien mieux le merle
     moqueur !

Mais il est bien court, le temps
     des cerises
Où l'on s'en va deux, cueillir
     en rêvant
Des pendants d'oreilles…
Cerises d'amour aux robes
     pareilles,
Tombant sous la feuille
     en gouttes de sang…
Mais il est bien court, le temps
     des cerises,
Pendants de corail qu'on cueille
     en rêvant !

Le Temps des cerises (suite)

Quand vous en serez au temps
     des cerises
Si vous avez peur des chagrins
     d'amour,
Évitez les belles.
Moi qui ne crains pas les peines
     cruelles,
Je ne vivrai point sans souffrir
     un jour...
Quand vous en serez au temps
     des cerises
Vous aurez aussi des peines
     d'amour !

J'aimerai toujours le temps
     des cerises,
C'est de ce temps-là que je garde
     au cœur
Une plaie ouverte...
Et dame Fortune en m'étant
     offerte
Ne pourra jamais fermer
     ma douleur.
J'aimerai toujours le temps
     des cerises
Et le souvenir que je garde
     au cœur !

Le Trente et Un du mois d'août

Le trente et un du mois d'a-oût, Nous vîm's ve-nir sous l'vent vers
Refrain : Bu-vons un coup, bu-vons-en deux À la san-té des a-mou-

nous, U-ne fré-ga-te d'An-gle-ter-re Qui
reux, À la san-té du roi de Fran-ce Et

fen-dait l'air et puis les eaux, Vo-guant pour al-ler à Bor-deaux.
m... pour le roi d'An-gle-terr' Qui nous a dé-cla-ré la guerre !

Le trente et un du mois d'août,
Nous vîm's venir sous l'vent
vers nous,
Une frégate d'Angleterre
Qui fendait l'air et puis les eaux,
Voguant pour aller à Bordeaux.

Refrain
Buvons un coup, buvons-en deux
À la santé des amoureux,
À la santé du roi de France
Et m... pour le roi d'Angleterr'
Qui nous a déclaré la guerre !

Le capitaine, un grand forban,
Fait appeler son lieutenant :
« Lieutenant, te sens-tu capable,
Dis-moi, te sens-tu z'assez fort
Pour prendre l'Anglais
à son bord ? »

Le lieutenant fier z'et hardi
Lui répond : « Capitaine, z'oui,
Faites branl'bas à l'équipage,
Je vas z'hisser not' pavillon
Qui rest'ra haut, nous le jurons. »

Le Trente et Un du mois d'août (suite)

Le maître donn' un coup d'sifflet
Pour faire monter
           les deux bordées.
Tout est paré pour l'abordage,
Hardis gabiers, fiers matelots,
Brav's canonniers, mousses,
               petiots.

Vir' lof pour lof en bourlinguant,
Je l'abordions par son avant
À coup de haches d'abordage,
De piqu', de sabr',
           de mousquetons,
En trois cinq sec, je l'arrimions.

Que dira-t-on du grand rafiot,
En Angleterre et à Bordeaux,
Qu'a laissé prendre son équipage
Par un corsair' de six canons,
Lui qu'en avait trente et si bons ?

Les Anges dans nos campagnes

Les an _ ges dans _ nos cam-pa-gnes Ont en-ton- né l'hym _ ne des cieux
Et l'é _ cho de _ nos mon-ta-gnes Re-dit ce chant mé _ lo-di-eux :

Glo _____ o - ri - a

1.
in ex - cel - sis De - o

2.
De _____ o !

Les anges dans nos campagnes
Ont entonné l'hymne des cieux
Et l'écho de nos montagnes
Redit ce chant mélodieux :

Refrain
Gloria in excelsis Deo
Gloria in excelsis Deo !

Les Anges dans nos campagnes (suite)

Bergers, pour qui cette fête ?
Quel est l'objet de tous ces chants ?
Quel vainqueur, quelle conquête
Mérite ces cris triomphants ?

Ils annoncent la naissance
Du libérateur d'Israël
Et pleins de reconnaissance
Chantent en ce jour solennel :

Chantons tous l'heureux village
Qui l'a vu naître sous ses toits.
Offrons-lui le tendre hommage
Et de nos cœurs et de nos voix :

Dans l'humilité profonde
Où vous paraissez à nos yeux
Pour vous louer, Dieu du monde,
Nous redirons ce chant joyeux :

Déjà par la bouche de l'ange
Par les hymnes des chrétiens
Les hommes savent la louange
Qui se chante au parvis divin.

Bergers, quittez vos retraites,
Unissez-vous à leurs concerts
Et que vos tendres musettes
Fassent retentir les airs.

Dociles à leurs exemples,
Seigneur, nous viendrons
                      désormais
Au milieu de votre temple
Chanter avec eux vos bienfaits.

Les Canuts

Pour chan-ter Ve-ni cre-a-tor il faut u-ne cha-su-ble d'or.

Nous en tis-sons pour vous, grands de l'É-gli——se, Et

nous, pau-vres ca-nuts, n'a-vons pas de che-mi——se. C'est nous

les ca - nuts Nous som-mes tout nus.

Pour chanter *Veni creator*
Il faut une chasuble d'or. } *bis*
Nous en tissons pour vous,
      grands de l'Église,
Et nous, pauvres canuts,
      n'avons pas de chemise.

Refrain
C'est nous les canuts
Nous sommes tout nus.

Pour gouverner, il faut avoir
Manteaux ou rubans en sautoir.
Nous en tissons pour vous,
      grands de la terre,
Et nous, pauvres canuts,
      sans drap on nous enterre.

Mais notre règne arrivera
Quand votre règne finira.
Nous tisserons le linceul
      du vieux monde
Car on entend déjà la tempête
      qui gronde.

Les Canuts d'Aristide Bruant.
© Éditions Salabert.

Les Compagnons de la Marjolaine

« Qu'est-ce qui passe i-ci si tard, Com-pa-gnons de la Mar-jo-lai-ne ? Qu'est-ce qui passe i-ci si tard, Gai, gai, des-sus le quai ?

« Qu'est-ce qui passe ici si tard,
Compagnons de la Marjolaine ?
Qu'est-ce qui passe ici si tard,
Gai, gai, dessus le quai ?

– C'est le chevalier du guet,
Compagnons de la Marjolaine.
C'est le chevalier du guet,
Gai, gai, dessus le quai.

– Que demand' ce chevalier ?…

– Une fille à marier…

– N'y a pas d'fille à marier…

–On m'a dit qu'vous en aviez…

– Ceux qui l'on dit
s'sont trompés…

– Je veux que vous
m'en donniez…

– Sur les onze heur's repassez…

– Les onze heur's
sont bien passées…

– Sur les minuit revenez…

– Voilà les minuit sonnés…

– Mais nos filles sont couchées…

– En est-il un' d'éveillée ?…

– Qu'est-ce que
vous lui donnerez ?…

– De l'or, des bijoux assez…

– Ell' n'est pas intéressée…

– Mon cœur je lui donnerai…

– En ce cas-là, choisissez… »

Les Crocodiles

Un crocodile, s'en allant
                           à la guerre,
Disait au r'voir à ses petits
                           enfants,
Traînant ses pieds, ses pieds
                           dans la poussière
Il s'en allait combattr'
                           les éléphants.

Refrain
Ah ! les cro, cro, cro, les cro,
                           cro, cro, les crocodiles
Sur les bords du Nil, ils sont
                           partis, n'en parlons plus.
} *bis*

Les Crocodiles (suite)

Il fredonnait une march'
                militaire,
Dont il mâchait les mots
                à grosses dents,
Quand il ouvrait la gueule
                tout entière,
On croyait voir ses ennemis
                dedans.

Il agitait sa grand' queue
                à l'arrière,
Comm' s'il était d'avance
                triomphant.
Les animaux devant sa mine
                altière,
Dans les forêts, s'enfuyaient
                tout tremblants.

Un éléphant parut :
                et sur la terre
Se prépara ce combat de géants.
Mais près de là,
                courait une rivière :
Le crocodil' s'y jeta subitement.

Et tout rempli d'un' crainte
                salutaire
S'en retourna vers ses petits
                enfants.
Notre éléphant, d'une trompe
                plus fière,
Voulut alors accompagner
                ce chant.

Les Marins de Groix

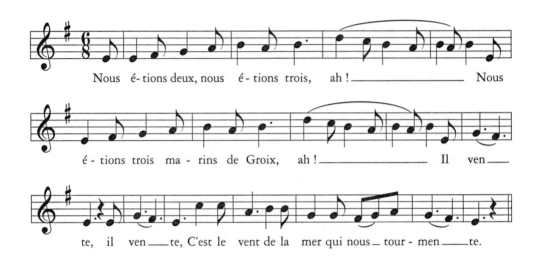

Nous é-tions deux, nous é-tions trois, ah ! Nous é-tions trois ma-rins de Groix, ah ! Il ven-te, il ven-te, C'est le vent de la mer qui nous tour-men-te.

Nous étions deux,
      nous étions trois, ah !
Nous étions trois marins
      de Groix, ah !

Refrain
Il vente, il vente,
C'est le vent de la mer
      qui nous tourmente.

Mon matelot, le mousse et moi
Embarqués sur le *Saint-François*.

Vint à souffler vent de noroît
À faire céder notre mât.

« Jean-Pierre, dis-je, matelot
Serrer d'la toile qu'il nous faut. »

Il est allé pour prendre un ris
Un coup de mer l'aura surpris.

Au jour j'ai revu son sabot
Il flottait seul là-bas sur l'eau.

Il a laissé sur not' bateau
Qu'un vieux béret et son couteau.

Plaignez d'mon pauvre matelot
La femme avec ses trois petiots.

Malbrough s'en va-t-en guerre

Mal - brough s'en va-t-en guer-re, Mi - ron - ton, mi-ron-ton, mi-ron-
tai - ne, Mal - brough s'en va - t-en guer-re, Ne sait quand re-vien-
dra, — Ne sait quand re-vien - dra, — Ne sait quand re-vien - dra. —

Malbrough s'en va-t-en guerre,
Mironton, mironton,
                    mirontaine,
Malbrough s'en va-t-en guerre,
Ne sait quand reviendra. *(ter)*

Il reviendra z'à Pâques
Mironton, mironton,
                    mirontaine,
Il reviendra z'à Pâques
Ou à la Trinité. *(ter)*

La Trinité se passe,
Mironton, mironton,
                    mirontaine,
La Trinité se passe,
Malbrough ne revient pas. *(ter)*

Madame à sa tour monte,
Mironton, mironton,
                    mirontaine,
Madame à sa tour monte,
Si haut qu'ell' peut monter. *(ter)*

Elle aperçoit son page,
Mironton, mironton,
                    mirontaine,
Elle aperçoit son page,
Tout de noir habillé. *(ter)*

« Beau page ah ! mon beau page,
Mironton, mironton,
                    mirontaine,
Beau page ah ! mon beau page,
Quell' nouvelle apportez ? *(ter)*

Malbrough s'en va-t-en guerre (suite)

– Aux nouvelles que j'apporte,
Mironton, mironton,
          mirontaine,
Aux nouvelles que j'apporte
Vos beaux yeux vont pleurer. *(ter)*

« Quittez vos habits roses
Mironton, mironton,
          mirontaine,
Quittez vos habits roses
Et vos satins brochés. *(ter)*

« Monsieur Malbrough est mort,
Mironton, mironton,
          mirontaine,
Monsieur Malbrough est mort,
Est mort et enterré. *(ter)*

« J'l'ai vu porter en terre
Mironton, mironton,
          mirontaine,
J'l'ai vu porter en terre
Par quatre z'officiers. *(ter)*

« L'un portait sa cuirasse,
Mironton, mironton,
          mirontaine,
L'un portait sa cuirasse,
L'autre son bouclier. *(ter)*

« L'un portait son grand sabre,
Mironton, mironton,
          mirontaine,
L'un portait son grand sabre,
L'autre ne portait rien. *(ter)*

« À l'entour de sa tombe,
Mironton, mironton,
          mirontaine,
À l'entour de sa tombe,
Romarin fut planté. *(ter)*

« Sur la plus haute branche,
Mironton, mironton,
          mirontaine,
Sur la plus haute branche,
Un rossignol chantait. *(ter)*

« On vit voler son âme,
Mironton, mironton,
          mirontaine,
On vit voler son âme,
À travers les lauriers. *(ter)*

« La cérémonie faite,
Mironton, mironton,
          mirontaine,
La cérémonie faite,
Chacun s'en fut coucher. *(ter)*

Malbrough s'en va-t-en guerre (suite)

« Les uns avec leurs femmes,
Mironton, mironton,
                    mirontaine,
Les uns avec leurs femmes,
Et les autres tout seuls ! *(ter)*

« J'n'en dis pas davantage,
Mironton, mironton,
                    mirontaine,
J'n'en dis pas davantage,
Car en voilà-z-assez. » *(ter)*

Maman les p'tits bateaux

Ma - man les p'tits ba - teaux Qui vont sur l'eau Ont- ils des jam- bes ? Mais

oui mon gros bê - ta, S'ils n'en a - vaient pas Ils mar- ch'raient pas.

Maman les p'tits bateaux
Qui vont sur l'eau
Ont-ils des jambes ?
Mais oui mon gros bêta,
S'ils n'en avaient pas
Ils march'raient pas.

Margoton va-t-à l'iau

Mar-go-ton va-t-à l'iau A-vec-que son cru-chon.
La fon-taine é-tait creuse, Elle est tom-bée au
fond. « Aïe, aïe, aïe, aïe », Se dit Mar-go-ton.

Margoton va-t-à l'iau } *bis*
Avecque son cruchon.
La fontaine était creuse,
Elle est tombée au fond.

Refrain
« Aïe, aïe, aïe, aïe »,
Se dit Margoton.

La fontaine était creuse
Elle est tombée au fond.
Par là vinr'nt à passer
Trois jeunes beaux garçons.

« Que donn'ras-tu la belle
Si nous te retirons ?

— Je n'ai rien à donner
Si ce n'est mon cruchon.

— Donne moins que cela
Car nous t'embrasserons,

« T'embrass'rons sur la bouche,
T'embrass'rons sur le front. »

Marie, tremp' ton pain

Tremp' ton pain Ma-rie, Tremp' ton pain Ma-rie, Tremp' ton pain dans la

sau-ce, Tremp' ton pain Ma-rie, Tremp' ton pain Ma-rie, Tremp' ton pain dans le

vin. Nous i - rons di - man - che À la mai - son Blan - che,

Toi z'en nan-kin, — moi z'en ba-zin, Tous deux en es - car - pins.

Refrain
Tremp' ton pain Marie,
Tremp' ton pain Marie,
Tremp' ton pain dans la sauce,
Tremp' ton pain Marie,
Tremp' ton pain Marie,
Tremp' ton pain dans le vin.

Nous irons dimanche
À la maison Blanche,
Toi z'en nankin, moi z'en bazin,
Tous deux en escarpins.

Le long de la Seine
Allons à Suresnes
Pour manger des gâteaux
Et pour voir passer
       les p'tits bateaux.

(Variante :)
La sauc' n'est pas bonne,
V'là Marie qui grogne.

186

Meunier tu dors

Meu-nier tu dors Ton mou-lin, ton mou-lin Va trop vi-te. Meu-nier tu dors Ton mou-lin, ton mou-lin Va trop fort. Ton mou-lin, ton mou-lin Va trop vi-te. Ton mou-lin, ton mou-lin Va trop fort. Ton mou-lin, ton mou-lin Va trop vi-te, Ton mou-lin, ton mou-lin Va trop fort.

Meunier tu dors
Ton moulin, ton moulin
Va trop vite.
Meunier tu dors
Ton moulin, ton moulin
Va trop fort.
Ton moulin, ton moulin
Va trop vite.
Ton moulin, ton moulin
Va trop fort. } *bis*

Kids sway to music for the first 2 lines.

At 'Ton moulin'-3rd line the kids roll their arms, opening each time they say 'fort' or 'vite'

rolling   opening

Minuit, chrétiens !

Mi-nuit, chré - tiens ! C'est l'heu-re so-len___ nel-le Où l'Hom-me
Pour ef - fa - cer la ta-che o - ri-gi-

Dieu des-cen-dit jus-qu'à nous nel-le Et de son Père ar-rê-ter le cour-

roux. Le monde en - tier tres - sail - le d'es-pé-ran-ce En

cet-te nuit qui lui donne un Sau-veur. Peuple, à ge - noux ! At-

tends___ ta dé-li - vran-ce ! No - ël !___ No - ël ! Voi___ ci___ le Ré-demp-

teur ! No - ël ! No - ël ! Voi - ci le Ré-demp - teur !

Minuit, chrétiens ! (suite)

Minuit, chrétiens ! C'est l'heure
solennelle
Où l'Homme Dieu descendit
jusqu'à nous
Pour effacer la tache originelle
Et de son Père arrêter
le courroux.
Le monde entier tressaille
d'espérance
En cette nuit qui lui donne
un Sauveur.
Peuple à genoux ! Attends
ta délivrance !
Noël ! Noël ! Voici
le Rédempteur ! *(bis)*

Le Rédempteur a brisé
toute entrave
La terre est libre et le ciel
est ouvert
Il voit un frère où n'était
qu'un esclave,
L'amour unit ceux qu'enchaînait
le fer.
Qui lui dira notre reconnaissance ?
C'est pour nous tous qu'il naît,
qu'il souffre et qu'il meurt.
Peuple debout ! Chante
ta délivrance !
Noël ! Noël ! Chantons
le Rédempteur ! *(bis)*

Mon ami me délaisse

Mon a - mi me dé - lais - se, O gai, vi - ve la ro - se !

Je ne sais pas pour - quoi, Vi - ve la rose et le li - las ! Je

ne sais pas pour - quoi, Vi - ve la rose et le li - las !

Mon ami me délaisse,
O gai, vive la rose ! } *bis*
Je ne sais pas pourquoi,
Vive la rose et le lilas ! } *bis*

Il va-t-en voir une autre,
O gai, vive la rose !
Qu'est plus riche que moi,
Vive la rose et le lilas !

On dit qu'elle est plus belle,
O gai, vive la rose !
Je n'en disconviens pas,
Vive la rose et le lilas !

On dit qu'elle est malade,
O gai, vive la rose !
Peut-être elle en mourra,
Vive la rose et le lilas !

Mais si ell' meurt dimanche,
O gai, vive la rose !
Lundi on l'enterr'ra,
Vive la rose et le lilas !

Mardi i' r'viendra m'voir,
O gai, vive la rose !
Mais je n'en voudrai pas,
Vive la rose et le lilas !

190

Mon âne

Mon â-ne, mon â-ne a bien mal à sa têt', Ma-da-me lui fait

Récapitulation

fai-re un bon-net pour sa fêt' Un bon-net pour sa fêt'

Et des sou-liers li-las, La, la Et des sou-liers li-las.

Mon âne, mon âne a bien mal
à sa têt',
Madame lui fait faire un bonnet
pour sa fêt'
Un bonnet pour sa fêt'
Et des souliers lilas
La, la
Et des souliers lilas.

Mon âne, mon âne a bien mal
aux oreill's,
Madam' lui a fait fair' un' pair'
de boucl's d'oreill' ;
Un' pair' de boucl's d'oreill',
Un bonnet pour sa fêt'

Et des souliers lilas
La, la
Et des souliers lilas.

Mon âne, mon âne a bien mal
à ses yeux,
Madam' lui a fait fair' un' pair'
de lunett's bleues ;
Un' pair' de lunett's bleues,
Un' pair' de boucl's d'oreill',
Un bonnet pour sa fêt'
Et des souliers lilas
La, la
Et des souliers lilas.

Mon âne (suite)

Mon âne, mon âne a bien mal
à son nez,
Madam' lui a fait fair' un joli
p'tit cach'-nez…

Mon âne, mon âne a bien mal
à sa gorge,
Madam' lui a fait fair' un bâton
d'sucre d'org'…

Mon âne, mon âne a mal
à l'estomac,
Madam' lui a fait fair' un' tass'
de chocolat…

Mon âne, mon âne a bien mal
à ses dents,
Madam' lui a fait fair' un ratelier
d'argent…

Mon âne, mon âne a bien mal
à son ventre,
Madam' lui a fait fair' de la tisan'
de menthe…

Mon âne, mon âne a bien mal
à son cœur,
Madam' lui a fait fair' un p'tit
verr' de liqueur…

Mon moine

Ah ! si mon moin' il vou-lait dan - ser ! Ah ! si mon
Un tam-bou-rin je lui don - ne - rais, Un tam-bou -

moin' il vou-lait dan - ser, Dan - se mon moin', dan -
rin je lui don - ne - rai.

se, Tu n'en-tends pas la dan - se, Tu n'en - tends pas mon mou-lin, lon

la, Tu n'en - tends pas mon mou-lin tour - ner.

Ah, si mon moin'
  il voulait danser, *(bis)*
Un tambourin je lui
  donnerais. *(bis)*

Refrain
Danse mon moin',
       danse,
Tu n'entends pas
      la danse,
Tu n'entends pas
  mon moulin, lon la
Tu n'entends pas
  mon moulin tourner.

Ah, si mon moin'
  il voulait danser, *(bis)*
Un beau triangle
  je lui donnerais. *(bis)*

… Des maracas
    je lui donnerais…

… Deux bouts
       de bois…

… De bell's
       cuiller's…

… Un beau kazoo…

… Une paire
       de mains…

… Un' boît'
   d'allumettes… *(etc.)*

Mon père avait cinq cents moutons

Mon père a-vait cinq cents mou-tons Dont j'é-tais la ber - gè - re,

Dont j'é-tais la ber - gè - re, Don-dai - ne, don - don, Dont j'é-tais

la ber-gè - re, Don, ———— Dont j'é- tais la ber - gè - re.

Mon père avait cinq cents moutons
Dont j'étais la bergère,
Dont j'étais la bergère,
Dondaine, dondon,
Dont j'étais la bergère,
Don,
Dont j'étais la bergère.

La première fois que je les mène
aux champs,
Le loup m'en a pris quinze,
Le loup m'en a pris quinze,
Dondaine, dondon,
Le loup m'en a pris quinze,
Don,
Le loup m'en a pris quinze.

Le fils du roi vint à passer,
M'a rendu ma quinzaine.

« La belle, que m'y donnerez-vous,
Oh! pour ma récompense?

– Quand je tondrai mes blancs
moutons,
Je vous donnerai la laine.

– De la laine, je n'en veux point,
Je veux ton cœur volage.

– Mon cœur volage n'est point
pour vous,
Il est en mariage. »

Mon père m'a donné un mari

Mon pèr' m'a don - né un ma - ri, Mon Dieu, quel homm', quel pe - tit hom - me ! Mon pèr' m'a don - né un ma - ri, Mon Dieu, quel homm', qu'il est pe - tit !

Mon pèr' m'a donné un mari,
Mon Dieu, quel homm',
      quel petit homme !
Mon père m'a donné un mari,
Mon Dieu, quel homme,
      qu'il est petit !

Je l'ai perdu dans mon grand lit,
Mon Dieu, quel homme,
      quel petit homme !
Je l'ai perdu dans mon grand lit,
Mon Dieu, quel homme,
      qu'il est petit !

J'pris un'chandelle et le cherchis…

À la paillasse le feu prit…

Je trouvai mon mari rôti…

Sur une assiette je le mis…

Le chat l'a pris pour un' souris…

Au chat, au chat,
      c'est mon mari !…

Fillett' qui prenez un mari…

Ne le prenez pas si petit !…

Montagnes Pyrénées

Mon - ta-gnes Py-ré — nées, Vous ê - tes mes a—mours.—
Ca - ba - nes for-tu — nées, Vous me plai - rez tou—jours.—

Rien n'est si beau que ma pa-tri — e, Rien ne plaît

tant — à mon — a-mi — e. Ô mon-ta-gnards, ô mon-ta-gnards,

Chan-tez en chœur, chan-tez en chœur, De mon pa-ys, de mon pa-

ys La paix et le bon-heur. La la la la la la La la la

la La la la La la la la la la La la la la la la

Montagnes Pyrénées (suite)

la. Hal-te - là, hal-te- là, hal-te - là, Les mon-ta-gnards, les

mon- ta- gnards, Hal- te - là, hal-te- là, hal- te - là, Les mon- ta- gnards sont

là ! Les mon-ta - gnards, Les mon- ta - gnards, Les mon-ta - gnards sont là !

Montagnes Pyrénées,
Vous êtes mes amours.
Cabanes fortunées,
Vous me plairez toujours.
Rien n'est si beau que ma patrie,
Rien ne plaît tant à mon amie.
Ô montagnards, ô montagnards,
Chantez en chœur,
        chantez en chœur,
De mon pays, de mon pays
La paix et le bonheur.
La lalala lala
La lalala
Lalala
La lalala lala
La lalala lalala.

Refrain
Halte-là, halte-là, halte-là,
Les montagnards,
        les montagnards,
Halte-là, halte-là, halte-là,
Les montagnards sont là !
Les montagnards,
Les montagnards,
Les montagnards sont là !

Montagnes Pyrénées (suite)

Sur la cime argentée
De ces pics orageux,
La nature domptée
Favorise nos jeux.
Vers les glaciers, d'un plomb
                    rapide,
J'atteins souvent l'ours intrépide
Et sur les monts *(bis)*
Plus d'une fois *(bis)*
J'ai devancé *(bis)*
La course du chamois.

Déjà, dans la vallée,
Tout est silencieux.
La montagne voilée
Se dérobe à nos yeux.
On n'entend plus
                    dans la nuit sombre
Que le torrent mugir dans l'ombre.
Ô montagnards *(bis)*
Chantez plus bas ! *(bis)*
Thérèse dort *(bis)*
Ne la réveillons pas.

Ne pleure pas, Jeannette

« Ne pleu - re pas, Jean - net_____te,   Tra   la   la la la la

la   la   la la   la   la   la,   Ne   pleu - re   pas,   Jean -

net_____te,   Nous te ma- ri - e - rons, Nous te ma - ri - e - rons.

« Ne pleure pas, Jeannette,
Tra la la la la la la la la la la la la,
Ne pleure pas, Jeannette,
Nous te marierons. *(bis)*

« Avec le fils d'un prince,
Tra la la la la la la la la la la la la,
Avec le fils d'un prince,
Ou celui d'un baron. *(bis)*

– Je ne veux pas d'un prince...
Encore moins d'un baron.

« Je veux mon ami Pierre...
Celui qu'est en prison.

– Tu n'auras pas ton Pierre...
Nous le pendouillerons.

– Si vous pendouillez Pierre...
Pendouillez-moi z'avec. »

Et l'on pendouilla Pierre...
Et sa Jeannette avec.

Noël nouvelet

No - ël nou - ve - let, No - ël chan — tons i - ci,
Dé — vo - tes gens di - sons à — Dieu mer - ci,

Chan - tons No - ël pour le roi nou - ve - let,

No - ël nou - ve - let, No - ël chan tons i - ci.

Noël nouvelet, Noël chantons ici,
Dévotes gens disons à Dieu
merci,
Chantons Noël pour le roi
nouvelet,
Noël nouvelet, Noël chantons ici.

Quand je m'éveillai
et j'eus assez dormi,
Ouvris les yeux, vis un arbre fleuri
Dont il sortait un bouton
merveilleux,
Noël nouvelet, Noël chantons ici.

D'un oiselet bientôt le chant ouï
Qui aux pasteurs disait :
« Partez d'ici
En Bethléem trouverez l'Agnelet,
Noël nouvelet,
Noël chantons ici. »

En Bethléem Marie et Joseph vis,
L'âne et le bœuf, l'enfant couché
au lit,
La crèche était au lieu
d'un bercelet,
Noël nouvelet, Noël chantons ici.

Noël nouvelet (suite)

L'étoile y vis qui la nuit éclaircit
Qui d'Orient dont elle était sortie
En Bethléem les trois Rois amenait,
Noël nouvelet, Noël chantons ici.

L'un portait l'or, l'autre la myrrhe aussi,
L'autre l'encens qu'il fait si bon sentir,
Du paradis semblait le jardinet,
Noël nouvelet, Noël chantons ici.

Nous n'irons plus au bois

Nous n'irons plus au bois
Les lauriers sont coupés.
La belle que voilà
Ira les ramasser.

Refrain
Entrez dans la danse,
Voyez comm' on danse.
Sautez, dansez,
Embrassez qui vous voudrez.

La belle que voilà
Ira les ramasser.
Mais les lauriers du bois,
Les laiss'rons-nous couper ?

Nous n'irons plus au bois (suite)

Non, chacune à son tour
Ira les ramasser.

Si la cigale y dort
Il n'faut pas la blesser.

Le chant du rossignol
Viendra la réveiller.

Et aussi la fauvette
Avec son doux gosier.

Et Jeanne la bergère
Avec son blanc panier.

Allant cueillir la fraise
Et la fleur d'églantier.

Cigale, ma cigale,
Allons, il faut chanter.

Car les lauriers du bois
Sont déjà repoussés.

Passant par Paris

Pas-sant par Pa - ris, Vi - dant ma bou - teil - le, Pas - sant par Pa -
ris, Vi - dant ma bou - teil - le, Un de mes a - mis Me dit
à l'o - reil - le : Bon, bon, bon, Le bon vin m'en - dort, L'a - mour me ré -
veil - le. Le bon vin m'en - dort, L'a - mour me ré - veille en - cor'.

Passant par Paris,
Vidant ma bouteille, } *bis*
Un de mes amis
Me dit à l'oreille :

Refrain
Bon, bon, bon,
Le bon vin m'endort,
L'amour me réveille.
Le bon vin m'endort,
L'amour me réveille encor'.

Passant par Paris (suite)

Un de mes amis
Me dit à l'oreille : } *bis*
« Jean prends garde à toi
L'on courtis' ta belle.

– Courtis' qui voudra
Je me fie en elle.

« J'ai eu de son cœur
La fleur la plus belle.

« Dans un beau lit blanc,
Gréé de dentelles.

« J'ai eu trois garçons,
Tous trois capitaines.

« L'un est à Bordeaux,
L'autr' à La Rochelle.

« L'plus jeune à Paris
Courtisant les belles.

Et l'père est ici,
Qui hal' la ficelle. »

Passe, passera

Pass', pass', pas-se - ra La der-niè-re, la der-niè - re,

Pass', pass', pas-se - ra, La der-niè-re res-te ra. Qu'est-c'qu'elle

a donc fait La p'tite hi-ron - delle ? Elle nous a vo -

lé Trois p'tits grains de blé. On l'at-tra-pe - ra La p'tite

hi-ron - delle, Nous lui don-ne - rons Trois p'tits coups d'bâ - ton.

Pass', pass', passera
La dernière, la dernière,
Pass', pass', passera
La dernière restera.
Qu'est-c' qu'elle a donc fait
La p'tite hirondelle ?

Elle nous a volé
Trois p'tits grains de blé.
On l'attrapera
La p'tite hirondelle,
Nous lui donnerons
Trois p'tits coups d'bâton.

Perrine était servante

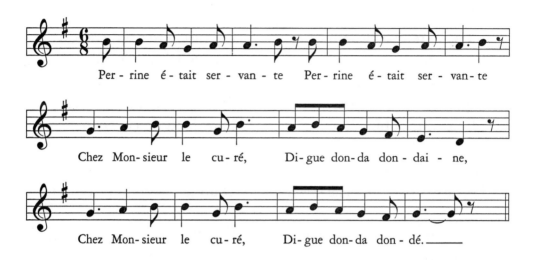

Perrine était servante *(bis)*
Chez Monsieur le curé,
Digue donda dondaine,
Chez Monsieur le curé,
Digue donda dondé.

Son amant vint la vouèrre *(bis)*
Un soir après l'dîner.

« Perrine, ô ma Perrine,
J'voudrais t'i ben t'biser.

– Eh, grand nigaud, qu' t'es bête,
Ça s'prend sans s'demander.

« V'là M'sieur l'curé qu'arrive,
Où j'vas-ti ben t'cacher ?

Perrine était servante (suite)

« Cache-té dedans la huche
l'saura point t'trouver. »

Il y resta six s'maines,
Elle l'avait oublié.

Au bout de six semaines
Les rats l'avaient rouché (*mangé*).

I's y avaient rouché l'crâne
Et pis tous les doigts d'pieds.

On fit creuser son crâne
pour faire un bénitier.

On fit monter ses jambes
Pour faire un chandelier.

Voilà la triste histoire
D'un jeune homme à marier

Qu'allait trop voir les filles
Le soir après dîner.

Petit Papa

Pe- tit Pa - pa c'est au-jour-d'hui ta fê- te, Ma- man m'a dit que tu n'é-tais pas là. J'a- vais des fleurs pour cou - ron - ner ta tê-te Et un bou - quet pour met - tre sur ton cœur. Pe- tit Pa- pa, pe- tit Pa - pa.

Petit Papa c'est aujourd'hui ta fête,
Maman m'a dit que tu n'étais pas là.
J'avais des fleurs pour couronner ta tête
Et un bouquet pour mettre sur ton cœur.
Petit Papa, petit Papa.

Pique la baleine

Pour re-trou-ver ma douce a-mie, Oh! mes boués! Ouh!

là, Ouh! là là là! Pi-que la ba-lei-ne, jo-li ba-lei-nier,

Pi-que la ba-lei-ne, je veux na-vi-guer!

Pour retrouver ma douce amie,
Oh! mes boués!
Ouh! là,
Ouh! là là là!
Pique la baleine, joli baleinier,
Pique la baleine, je veux
                        naviguer!

Aux mille mers j'ai navigué,
Oh! mes boués!
Ouh! là,
Ouh! là là là!
Pique la baleine, joli baleinier,
Pique la baleine, je veux
                        naviguer!

Des mers du Nord
            aux mers du Sud...

Je l'ai r'trouvée
                    quand j'm'ai neyé...

Dans les grands fonds
                    elle m'espérait...

En couple à elle me suis couché...

Plaisir d'amour

Plai - sir d'a - mour ___ ne du - re qu'un - mo - ment, ___ Cha - grin d'a -

FIN

mour du - re tou - te la vi ___ e. J'ai tout quit - té pour l'in - gra - te Syl -

vi ___ e, El - le me quitte et prend ___ un autre a - mant.

Plaisir d'amour ne dure
                qu'un moment,
Chagrin d'amour dure
                toute la vie.

J'ai tout quitté pour l'ingrate
                Sylvie,
Elle me quitte et prend
                un autre amant.

Plaisir d'amour ne dure
                qu'un moment,
Chagrin d'amour dure
toute la vie.

« Tant que cette eau coulera
                doucement
Vers ce ruisseau qui borde
                la prairie,
Je t'aimerai », me répétait Sylvie,
L'eau coule encor', elle a changé
                pourtant.

Plaisir d'amour ne dure
                qu'un moment,
Chagrin d'amour dure
                toute la vie.

Pomme de reinette et pomme d'api

Pomme de rei-nett' et pomme d'a-pi, Pe-tit a-pi rou-ge,

Pomme de rei-nett' et pomme d'a-pi, Pe-tit a-pi gris.

Pomme de reinett' et pomme d'api,
Petit api rouge, *(on comprend « petit tapis rouge »)*
Pomme de reinett' et pomme d'api,
Petit api gris. *(on comprend « petit tapis gris ».)*

Prom'nons-nous dans les bois

Prom'-nons - nous dans les bois Pen-dant que le loup n'y est pas Si le

loup y é - tait Il nous man-ge-rait, Mais comme il n'y est pas Il nous

mang'- ra pas. Loup y es - tu ? Que fais - tu ? Je mets ma che - mise !

Refrain

Prom'nons-nous dans les bois
Pendant que le loup n'y est pas
Si le loup y était
Il nous mangerait,
Mais comme il n'y est pas
Il nous mang'ra pas.
« Loup y es-tu ?
Que fais-tu ?

(Le loup répond en s'habillant :)
– Je mets ma chemise !

– Je mets mes chaussettes !

– Je mets mes chaussures !

– Je mets ma cravate !

– Je mets ma veste !

– Je mets mes lunettes !

– J'arrive, ah ah ah ! »

Quand j'étais petit

Quand j'é - tais pe - tit   Je   n'é - tais   pas   grand

J'mon - trais mon der - rière   À   tous   les   pas - sants.

Quand j'étais petit
Je n'étais pas grand
J'montrais mon derrière
À tous les passants.

Mon papa disait :
« Veux-tu le cacher ! »
Je lui répondais :
« Veux-tu l'embrasser ? »

Savez-vous planter les choux ?

Sa - vez - vous plan - ter les choux, À la mo - de, à la mo - de, Sa - vez - vous plan - ter les choux, À la mo - de de chez nous ?

Savez-vous planter les choux,
À la mode, à la mode,
Savez-vous planter les choux,
À la mode de chez nous ?

On les plante avec le doigt,
À la mode, à la mode,
On les plante avec le doigt,
À la mode de chez nous.

On les plante avec le coude...

(etc.)

(*On continue ainsi avec différentes parties du corps : le pied, le genou, le nez, la tête, etc.*)

215

Scions, scions du bois

Scions, scions, scions du bois, Pour la mè-re, pour la mè-re,

Scions, scions, scions du bois, Pour la mè-re Ni-co-las!

Scions, sci-ons, sci-ons le bois, À la mè-re Ni-co-las Qui a cas-sé

ses sa-bots En mil-le mor-ceaux. « Voi-là les mor-ceaux! You! »

Scions, scions, scions du bois,
Pour la mère, pour la mère,
Scions, scions, scions du bois,
Pour la mère Nicolas !

} *bis*

Scions, scions, scions le bois,
À la mère Nicolas
Qui a cassé ses sabots
En mille morceaux.
« Voilà les morceaux ! You ! »

Se canto, que canto

Des - sous ma fe——nê - tre Y'a un oi - se - let, Tou-te la nuit chan - te, Chan-te sa chan - son. S'il chan-te, qu'il— chan-te, Ce n'est pas pour moi, Mais c'est pour ma mi- e Qui est loin de—— moi.

Debat ma fenestro
A un aouselou,
Touto la ney canto
Canto pas per you.

Dessous ma fenêtre
Y'a un oiselet,
Toute la nuit chante,
Chante sa chanson.

Refrain
Se canto, que canto.
Canto pas per you,
Canto per ma mio
Qu'es allen de you.

Refrain
S'il chante, qu'il chante,
Ce n'est pas pour moi,
Mais c'est pour ma mie
Qui est loin de moi.

Aquellos montagnos
Que tan hautos soun
M'empachon de veyre
Mas amours oun soun.

Ces fières montagnes
À mes yeux navrés
Cachent de ma mie
Les traits bien-aimés.

Se canto, que canto (suite)

Bassas-bous montagnos
Plano aoussas-bous
Per que posqui bere
Mes amours oun soun.

Aquellos montagnos
Tant s'abacharan
Et mas amourettos
Se rraproucharan.

Baissez-vous montagnes,
Plaines, haussez-vous,
Que mes yeux s'en aillent
Où sont mes amours.

Les chères montagnes
Tant s'abaisseront
Qu'à la fin ma mie
Mes yeux reverront.

Sont les fill's de La Rochelle

Sont les fill's de La Ro - chel-le, Ont ar - mé un bâ - ti -
ment, Ont ar - mé un bâ - ti - ment, Pour al - ler fai - re la
cour - se De - dans les mers du Le - vant. Ah! la
feuil - le s'en - vo - le, s'en - vo - le! Ah! la feuil - le s'en - vole au vent!

Sont les fill's de La Rochelle,
Ont armé un bâtiment, *(bis)*
Pour aller faire la course
Dedans les mers du Levant.

Refrain
Ah! la feuille s'envole, s'envole!
Ah! la feuille s'envole au vent!

La grand' vergue est en ivoire,
Les poulies en diamant, *(bis)*
La grand'voile est en dentelle,
La misaine en satin blanc.

Sont les fill's de La Rochelle (suite)

Les cordages du navire
Sont de fils d'or et d'argent *(bis)*
Et la coque est en bois rouge
Travaillé fort proprement.

L'équipage du navire
C'est tout filles de quinze ans. *(bis)*
Le cap'taine qui les commande
Est le roi des bons enfants.

Hier, faisant sa promenade
Dessus le gaillard d'avant, *(bis)*
Aperçut une brunette
Qui pleurait dans les haubans.

« Qu'avez-vous, jolie brunette,
Qu'avez-vous à pleurer tant, *(bis)*
Av' vous perdu père et mère,
Ou quelqu'un de vos parents ?

– J'ai perdu la rose blanche,
Qui s'en fut, la voile au vent. *(bis)*
Elle est partie, vent arrière,
Reviendra-z-en louvoyant. »

Sur la route de Dijon

Sur la rou-te de Di - jon, La bel-le di-gue digue, la bel-le di-gue

1. don, Sur la 2. don, Il y a - vait u-ne fon-tai—ne, La di - gue don dai—

ne, Il y a - vait u-ne fon - tai—ne Aux oi - seaux, aux oi-seaux.

Sur la route de Dijon,
La belle digue digue, } bis
  la belle digue don,
Il y avait une fontaine,
La digue dondaine,
Il y avait une fontaine
Aux oiseaux, aux oiseaux.

Près d'elle un joli tendron
La belle digue digue, } bis
  la belle digue don,
Pleurait comme un' Madeleine,
La digue dondaine,
Pleurait comme un' Madeleine,
Aux oiseaux, aux oiseaux.

Sur la route de Dijon (suite)

Par là passe un bataillon…
Qui chantait à perdre haleine…

« Belle comment
        vous nomme-t-on ?…
– On me nomme Marjolaine…

– Marjolain' c'est un doux
           nom… »
S'écria-t-un capitaine…

« Marjolain' qu'avez-vous donc ?
– Messieurs j'ai beaucoup
           de peine. »

Paraît qu'tout le bataillon…
Consola la Marjolaine…

Quand vous pass'rez à Dijon…
Allez boire à la fontaine…

Sur la route de Louviers

Sur la rou-te de Lou - viers___ Sur la rou-te de Lou - viers___ Y a-
vait un can-ton - nier___ Y a - vait un can-ton - nier___ Et qui cassait Et qui cas - sait Des tas d'cail - loux Des tas d'cail - loux Et qui cas -
sait des tas d'cail - loux___ Pour mettr' su' l'pas - sag' des roues.

Sur la route de Louviers *(bis)*
Y avait un cantonnier *(bis)*
Et qui cassait *(bis)*
Des tas d'cailloux *(bis)*
Et qui cassait des tas d'cailloux
Pour mettr' su'l'passag' des roues.

Sur la route de Louviers (suite)

Un' bell' dam' vint à passer
Dans un beau carross' doré
Et qui lui dit :
« Pauv' cantonnier »,
Et qui lui dit : « Pauv' cantonnier
Tu fais un fichu métier ! »

Le cantonnier lui répond :
« Faut qu'j'nourrissions
                 nos garçons
Car si j'roulions
Carross' comm' vous,
Car si j'roulions carross'
                 comm' vous
Je n'casserions pas d'cailloux ! »

Cette répons' se fait r'marquer
Par sa grande simplicité
C'est c'qui prouv' que
Les malheureux
C'est c'qui prouv'
                 que les malheureux
S'ils le sont c'est malgré eux.

Sur le pont d'Avignon

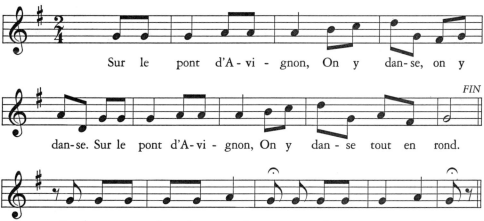

Sur le pont d'A - vi - gnon, On y dan - se, on y

FIN

dan - se. Sur le pont d'A - vi - gnon, On y dan - se tout en rond.

Les beaux mes - sieurs font comm' ça... Et puis en - core comm' ça...

Refrain
Sur le pont d'Avignon,
On y danse, on y danse.
Sur le pont d'Avignon,
On y danse tout en rond.

Les beaux messieurs font
                    comm' ça...
Et puis encore comm' ça...

Les bell's dames font
                    comm'ça...
Et puis encore comm' ça...

Les soldats font comm'ça...
Et puis encore comm' ça...

Les vignerons...

Les jardiniers... *(etc.)*

Sur l'pont du Nord

Sur l'pont du Nord, un bal y est don - né, Sur l'pont du Nord, un bal y est don - né.

Sur l'pont du Nord,
    un bal y est donné. *(bis)*

Adèle demande à sa mère
    d'y aller. *(bis)*

« Non, non, ma fille,
    tu n'iras pas danser. »

Monte à sa chambre
    et se met à pleurer.

Son frère arrive dans un bateau
    doré.

« Ma sœur, ma sœur,
    qu'as-tu donc à pleurer ?

– Maman n'veut pas que j'aille
    au bal danser.

– Mets ta robe blanche
    et ta ceinture dorée,

Et nous irons tous deux au bal
    danser. »

La première danse,
    Adèle a bien dansé.

La deuxième danse,
    le pont s'est écroulé.

Les cloches de Nantes se mirent
    à sonner.

La mère demande
    pour qui elles ont sonné.

« C'est pour Adèle et votre fils
    aîné. »

Voilà le sort des enfants obstinés

Qui vont au bal
    sans y être invités.

Trois jeunes tambours

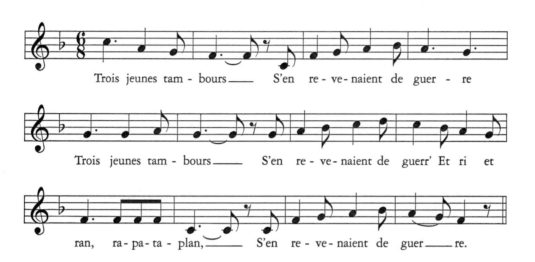

Trois jeunes tam - bours ___ S'en re - ve - naient de guer - re

Trois jeunes tam - bours ___ S'en re - ve - naient de guerr' Et ri et

ran, ra - pa - ta - plan, ___ S'en re - ve - naient de guer ___ re.

Trois jeunes tambours
S'en revenaient de guerre
Trois jeunes tambours
S'en revenaient de guerr'
Et ri et ran, rapataplan,
S'en revenaient de guerre.

Le plus jeune a
Dans sa bouche une rose…

La fill' du roi
Était à sa fenêtre…

« Joli tambour,
Donnez-moi votre rose !…

Trois jeunes tambours (suite)

– Fille du roi,
Donnez-moi votre cœur(e)…

– Joli tambour,
Demandez-z'à mon père…

– Sire le roi,
Donnez-moi votre fille…

– Joli tambour,
Tu n'es pas assez riche…

– Sire le roi,
Je ne suis que trop riche…

« J'ai trois vaisseaux
Dessus la mer jolie…

« L'un chargé d'or,
L'autre de pierreries…

« Et le troisièm'
Pour promener ma mie…

– Joli tambour,
Dis-moi quel est ton père ?…

– Sire le roi,
C'est le roi d'Angleterre !…

– Joli tambour,
Je te donne ma fille…

– Sire le roi,
Je vous en remercie…

« Dans mon pays
Y en a de plus jolies… »

Un, deux, trois

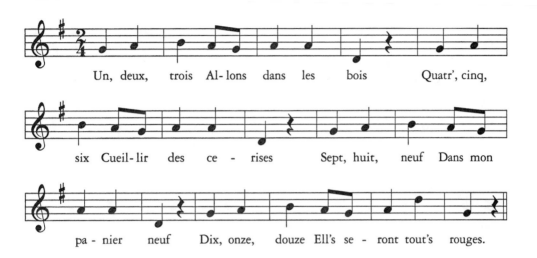

Un, deux, trois Al-lons dans les bois Quatr', cinq,
six Cueil-lir des ce - rises Sept, huit, neuf Dans mon
pa - nier neuf Dix, onze, douze Ell's se - ront tout's rouges.

Un, deux, trois
Allons dans les bois
Quatr', cinq, six
Cueillir des cerises
Sept, huit, neuf
Dans mon panier neuf
Dix, onze, douze
Ell's seront tout's rouges.

Mille ans de Chansons

Un grand cerf

Dans sa maison un grand cerf Regardait par la fenêtre Un lapin venir à lui Et frapper à l'huis. « Cerf, cerf, ouvre-moi ou le chasseur me tuera ! – Lapin, lapin, entre et viens Me serrer la main ! »

Dans sa maison un grand cerf
Regardait par la fenêtre
Un lapin venir à lui
Et frapper à l'huis.
« Cerf, cerf, ouvre-moi
Ou le chasseur me tuera !
– Lapin, lapin, entre et viens
Me serrer la main ! »

Un kilomètre à pied

Un ki - lo - mètre à pied, ça u - se, ça u - se,

Un ki - lo - mètre à pied, ça u - se les sou - liers.

Un kilomètre à pied, ça use, ça use,
Un kilomètre à pied, ça use les souliers.

Deux kilomètres à pied... *(etc.)*

Un petit cochon

Un pe - tit co - chon   Pen - du au pla - fond   Ti - rez - lui le

nez   Il don - n'ra du   lait   Ti - rez - lui la   queue

Il pon - dra des   œufs.   Com - bien en vou - lez - vous ?

Un petit cochon
Pendu au plafond
Tirez-lui le nez
Il donn'ra du lait
Tirez-lui la queue
Il pondra des œufs.
Combien en voulez-vous ?

Une poule sur un mur

U - ne pou- le sur un mur Qui pi - co - te du pain dur Pi - co - ti, pi - co - ta, Lèv' la queue et puis s'en va.

Une poule sur un mur
Qui picote du pain dur
Picoti, picota,
Lèv' la queue et puis s'en va.

Une souris verte

U - ne sou - ris ver - te Qui cou - rait dans l'her - be.

Je l'at - tra - pe par la queue, Je la montre à ces mes - sieurs.

Ces mes - sieurs me di - sent : « Trem - pez - la dans l'hui - le,

Trem - pez - la dans l'eau, Ça fe - ra un es - car - got Tout chaud. »

Une souris verte
Qui courait dans l'herbe.
Je l'attrape par la queue,
Je la montre à ces messieurs.
Ces messieurs me disent :
« Trempez-la dans l'huile,
Trempez-la dans l'eau,
Ça fera un escargot
Tout chaud. »

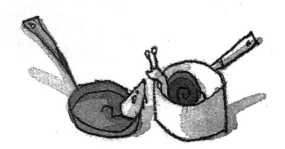

V'là l'bon vent

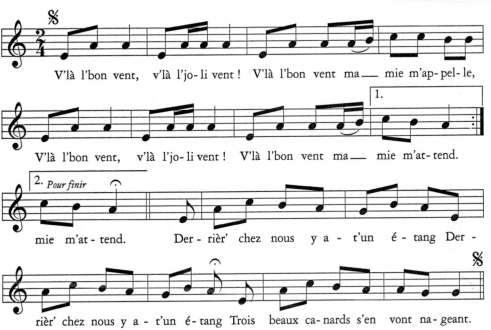

V'là l'bon vent, v'là l'jo-li vent ! V'là l'bon vent ma— mie m'ap-pel-le,

V'là l'bon vent, v'là l'jo-li vent ! V'là l'bon vent ma— mie m'at-tend.

2. *Pour finir* mie m'at-tend. Der-rièr' chez nous y a - t'un é-tang Der-

rièr' chez nous y a - t'un é-tang Trois beaux ca-nards s'en vont na-geant.

Refrain
V'là l'bon vent, v'là l'joli vent !
V'là l'bon vent ma mie m'appelle,
V'là l'bon vent, v'là l'joli vent !
V'là l'bon vent ma mie m'attend.

Derrièr' chez nous y a-t'un étang
                          (bis)
Trois beaux canards
            s'en vont nageant.

Trois beaux canards
            s'en vont nageant *(bis)*
Le fils du roi s'en va chassant.

Le fils du roi s'en va chassant
Avec son grand fusil d'argent.

Avec son grand fusil d'argent
Visa le noir tua le blanc.

235

V'là l' bon vent (suite)

Visa le noir tua le blanc.
Oh, fils du roi tu es méchant.

Oh, fils du roi tu es méchant
Tu as tué mon canard blanc.

Tu as tué mon canard blanc
Par-dessous l'aile il perd son sang.

Par-dessous l'aile il perd son sang
Et par les yeux des diamants.

Et par les yeux des diamants
Et par le bec l'or et l'argent.

Et par le bec l'or et l'argent
Que ferons-nous de tant d'argent?

Que ferons-nous de tant d'argent?
Nous mettrons les fill's
au couvent.

Nous mettrons les fill's
au couvent
Et les garçons au régiment.

Valparaiso

Har- di les gars ! Vir' au guin-deau ! Good bye fa- re-well ! Good bye fa - re-well !

Har-di les gars ! A - dieu Bor-deaux ! Hour - ra ! Oh Me - xi - co ! Ho ! Ho ! Ho ! Au

cap Horn il ne fe-ra pas chaud ! Haul a - way ! Hé ! Ou - la tcha- lez !

À fair' la pêch' au ca - cha- lot ! Hal' ma-te-lot ! Hé ! Ho ! Hiss' hé ! Ho !

Hardi les gars ! Vir' au guindeau !
Good bye farewell !
Good bye farewell !
Hardi les gars ! Adieu Bordeaux !
Hourra ! Oh Mexico !
Ho ! Ho ! Ho !
Au cap Horn il ne fera pas chaud !
Haul away !
Hé ! Oula tchalez !
À fair' la pêch' au cachalot !
Hal' matelot !
Hé ! Ho ! Hiss' hé ! Ho !

Valparaiso (suite)

Plus d'un y laissera sa peau !
Good bye farewell ! *(bis)*
Adieu misèr', adieu bateau !
Hourra ! Oh Mexico !
Ho ! Ho ! Ho !
Et nous irons à Valparaiso !
Haul away !
Hé ! Oula tchalez !
Où d'autr' y laisseront leurs os !
Hal' matelot !
Hé ! Ho ! Hiss' hé ! Ho !

Ceux qui r'viendront
       pavillon haut !
Good bye farewell ! *(bis)*
C'est Premier Brin de matelot !
Hourra ! Oh Mexico !
Ho ! Ho ! Ho !
Pour la bordée ils seront à flot !
Haul away !
Hé ! Oula tchalez !
Bons pour le rack, la fill',
       le couteau !

Hal' matelot !
Hé ! Ho ! Hiss' hé ! Ho !

Vent frais

Vent frais Vent du ma-tin Vent qui souffle Au som-met des grands pins Joie du vent qui passe Al-lons dans le grand...

Vent frais
Vent du matin
Vent qui souffle
Au sommet des grands pins
Joie du vent qui passe
Allons dans le grand...

Vent frais
Vent du matin...
(ad libitum).

Voici le mois de mai

Voici le mois de mai
Où les fleurs vol'nt au vent } bis
Où les fleurs vol'nt au vent
Si jolie mignonne
Où les fleurs vol'nt au vent
Si mignonnement.

Le gentil fils du roi
S'en va les ramassant
S'en va les ramassant
Si jolie mignonne
S'en va les ramassant
Si mignonnement.

Il en ramassa tant
Qu'il en remplit ses gants
Qu'il en remplit ses gants
Si jolie mignonne
Qu'il en remplit ses gants
Si mignonnement.

À sa mie les porta,
Les donna en présent
Les donna en présent
Si jolie mignonne
Les donna en présent
Si mignonnement.

Voici le mois de mai (suite)

« Prenez, prenez, ma mie,
Je vous donne ces gants
Je vous donne ces gants
Si jolie mignonne
Je vous donne ces gants
Si mignonnement.

« Portez-les donc, ma mie
Trois ou quatre fois l'an
Trois ou quatre fois l'an
Si jolie mignonne
Trois ou quatre fois l'an
Si mignonnement.

« À Pâques, à la Toussaint,
À Noël, à Saint-Jean
À Noël, à Saint-Jean
Si jolie mignonne
À Noël, à Saint-Jean
Si mignonnement. »

Y a un' pie

Y a un' pie dans l'poirier
J'entends la pie qui chante
Y a un' pie dans l'poirier
J'entends la pie chanter
J'entends, j'entends
      la pie qui chante
J'entends, j'entends
      la pie chanter

Autre version
Y a un rat dans l'grenier
J'entends le chat qui miaule…

Y avait dix filles

Y a-vait dix fill's dans un pré, Tout's les dix à ma-ri-er : Y a-vait Di-ne, y a-vait Chi-ne, Y a-vait Clau-dine et Mar-ti-ne, ah ! ah ! Ca-th'ri-nett' et Ca-th'ri-na ; Y a-vait la bel-le Su-zon, La du-chess' de Mont-ba-zon ; Y a-vait Ma-de-lei——ne ; Puis y a-vait la Du Mai——ne.

Y avait dix fill's dans un pré,
Tout's les dix à marier :
Y avait Dine, y'avait Chine,
Y avait Claudine et Martine,
ah ! ah !
Cath'rinett' et Cath'rina ;
Y avait la belle Suzon,
La duchess' de Montbazon ;
Y avait Madeleine ;
Puis y avait la Du Maine.

L'fils du roi vint à passer,
Tout's les dix a saluées :
Salua Dine, salua Chine,
Salua Claudine et Martine,
ah ! ah !
Cath'rinett' et Cath'rina ;
Salua la belle Suzon,
La duchess' de Montbazon ;
Salua Madeleine ;
Baiser à la Du Maine.

Y avait dix filles (suite)

À tout's fit un cadeau *(bis)*
Bague à Dine, bague à Chine,
Bague à Claudine et Martine,
           ah! ah!
Cath'rinett' et Cath'rina;
Bague à la belle Suzon,
À la duchess' de Montbazon;
Bague à Madeleine;
Diamant à la Du Maine.

Puis leur offrit à goûter *(bis)*
Pomme à Dine, pomme à Chine,
Pomme à Claudine et Martine,
           ah! ah!
Cath'rinett' et Cath'rina;
Pomme à la belle Suzon,
À la duchess' de Montbazon;
Pomme à Madeleine;
Gâteau à la Du Maine.

Puis leur offrit à coucher *(bis)*
Paille à Dine, paille à Chine,
Paille à Claudine et Martine,
           ah! ah!
Cath'rinett' et Cath'rina;
Paille à la belle Suzon,
À la duchess' de Montbazon;
Paille à Madeleine;
Beau lit à la Du Maine.

Puis tout's il les renvoya *(bis)*
Adieu à Dine, adieu à Chine,
Adieu à Claudine et Martine,
           ah! ah!
Cath'rinett' et Cath'rina;
Adieu à la belle Suzon,
À la duchess' de Montbazon;
Adieu Madeleine;
Et garda la Du Maine.

Youkaïdi

Aux premiers feux du soleil,
Youkaïdi, Youkaïda
Tout le camp est en éveil
Youkaïdi, aïda
On voit sortir de la tente
La troupe alerte qui chante.

Refrain
Youkaïdi, Youkaïda
Youkaïdi, aïdi aïda
Youkaïdi, Youkaïda
Youkaïdi, aïda.

Youkaïdi (suite)

Le campeur, en voyageant,
Peut aller mêm' sans argent,
Toujours joyeux en chemin
Qu'importe le lendemain !

Toujours prêts quoi qu'il arrive,
Ayons de l'initiative,
Sans geindre, ni criailler
Nous saurons nous débrouiller.

Nous sommes toujours contents
Qu'il pleuve ou qu'il fasse
                              beau temps,
Sans reproche et sans peur
Est devise du campeur.

L'honneur est notre noblesse
Un bon cœur notre richesse
Tout fièrement sans peur
Ainsi marche le campeur.

Et si la beauté du site,
À camper là nous invite,
Dans les fleurs et l'herbe on tend
La tente en moins d'un instant.

Bella ciao / *Au revoir ma belle*

U - na mat - ti - na, — mi son sve - glia - to — O bel - la ciao, bel - la ciao, bel - la ciao, ciao, ciao ! U - na mat - ti - na, — mi son sve - glia - to — Ed ho tro - va - to l'in - va - sor.

Una mattina, mi son svegliato
O bella ciao, bella ciao,
             bella ciao, ciao, ciao !
Una mattina, mi son svegliato
Ed ho trovato l'invasor.

Je me suis éveillé un matin
Bonjour ma belle…
Je me suis éveillé un matin
Et l'envahisseur était là.

Oh ! Partigiano, portami via
O bella ciao…
Oh ! Partigiano, portami via
Che mi sento di morir.

Hé, partisan, emmène-moi !
Au revoir ma belle…
Hé, partisan, emmène-moi !
Car je me sens mourir.

E se io muoio da Partigiano
O bella ciao…
E se io muoio da Partigiano
Tu mi devi seppellir.

Et si je meurs en partisan
Au revoir ma belle…
Et si je meurs en partisan
Il faudra que tu m'enterres.

Bella ciao / *Au revoir ma belle* (suite)

E seppellire sulla montagna
O bella ciao…
E seppellire sulla montagna
Sotto l'ombra di un bel fior.

Que tu m'enterres
                sur la montagne
Adieu ma belle…
Que tu m'enterres
                sur la montagne
À l'ombre d'un arbuste en fleur.

E tutta gente che passeranno
O bella ciao…
E tutta gente che passeranno
Grideranno che bel fior

Et tous ceux qui passeront
Adieu ma belle…
Et tous ceux qui passeront
S'écrieront quelle belle fleur

E quest' è il fiore del Partigiano
O bella ciao…
E quest' è il fiore del Partigiano
Morto per la libertà. *(bis)*

Et c'est la fleur du partisan
Adieu ma belle…
Et c'est la fleur du partisan
Mort pour la liberté.

Bring back / *Ramenez-moi mon bien-aimé*

My Bon-nie is o-ver the o-cean— My Bon-nie is o-ver the sea— My

Bon-nie is o-ver the o-cean—— O bring back my Bon-nie to me.

FIN

Bring back, bring back, Bring back my Bon-nie To me to me.

My Bonnie is over the ocean
My Bonnie is over the sea
My Bonnie is over the ocean
O bring back my Bonnie to me.

Mon bien-aimé vit de l'autre côté
de l'océan
Mon bien-aimé vit au-delà
des mers
Mon bien-aimé vit de l'autre côté
de l'océan
Oh, ramenez-moi mon bien-aimé.

Refrain
Bring back, bring back,
Bring back my Bonnie
To me, to me.
Bring back, bring back,
Bring back my Bonnie
To me.

Refrain
Ramenez-moi, ramenez-moi,
Ramenez-moi mon bien-aimé.

Bring back / *Ramenez-moi mon bien-aimé* (suite)

O blow ye winds over the ocean
O blow ye winds over the sea
O blow ye winds over the ocean
And blow back my Bonnie to me.

Oh, vents, soufflez sur l'océan
Oh, vents, soufflez par-delà
les mers
Oh, vents, soufflez sur l'océan
Et ramenez-moi mon bien-aimé.

Last night as I lay on my pillow
Last night as I lay on my bed
Last night as I lay on my pillow
And dreamed that my Bonnie
was dead.

La nuit dernière, la tête
sur l'oreiller
La nuit dernière dans mon lit
La nuit dernière, la tête
sur l'oreiller
J'ai rêvé que mon bien-aimé
était mort.

The winds have blown over
the ocean
The winds have blown over
the sea
The winds have blown over
the ocean
And brought back my Bonnie
to me.

Les vents ont soufflé sur l'océan
Les vents ont soufflé par-delà
les mers
Les vents ont soufflé sur l'océan
Et m'ont ramené mon bien-aimé.

Down by the riverside / *Au bord de la rivière*

I'm goin' to lay down my bur-den, Down by the ri-ver-side,

Down by the ri-ver-side, Down by the ri-ver-side, Goin' to

lay down my bur-den, Down by the ri-ver-side, Goin' to

stu-dy war no more, Ain't goin'to stu-dy war no more Ain't goin'to

stu-dy war no more To stu-dy war no more.

I'm goin' to lay down
            my burden,
Down by the riverside, *(ter)*
Goin' to lay down my burden,
Down by the riverside,
Goin' to study war no more,
Ain't goin' to study war no more
Ain't goin' to study war no more
To study war no more.

Je vais déposer mon fardeau
Au bord de la rivière…
La guerre est finie pour moi…

Down by the riverside / *Au bord de la rivière* (suite)

Goin' t'lay down my sword and shield…	Je vais laisser mon épée et mon bouclier..
Goin' t'try on my long white robe…	Je vais revêtir ma longue robe blanche…
Goin' t'try on my starry crown…	Je vais mettre ma couronne étincelante…
Goin' t'meet my dear old mother…	Je vais retrouver ma chère mère…
Goin' t'meet my dear old father…	Je vais retrouver mon cher père…
Goin' t'meet dem Hebrew children…	Je vais retrouver les enfants d'Israël…
Goin' t'meet my loving Jesus.	Je vais rencontrer le Seigneur.

Duerme, duerme Negrito

Dors, dors petit Nègre

Duer-me, duer-me Ne - gri —— to —— Que tu ma-ma es-ta en el

cam —po, Ne-gri - to. —— Te va a tra-er co-dor - nices pa-ra ti, ——

Te va a tra-er ri-ca fru-ta pa-ra ti, —— Te va a tra-er mu-chas

co-sas pa-ra ti. —— Y si ne-gro no se duer-me Vie-ne el dia-blo

blan-co Y—— se co-me las pa-ti-tas Tcha-ca bum tcha-ca bum Tcha-ca

tcha - ca tcha - ca bum Tcha - ca tcha - ca tcha - ca bum.

Duerme, duerme, Negrito
Dors, dors petit Nègre (suite)

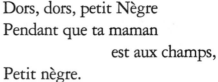

Duerme, duerme Negrito
Que tu mama esta en el campo, } *bis*
Negrito.
Te va a traer codornices para ti,
Te va a traer rica fruta para ti,
Te va a traer muchas cosas
                           para ti.
Y si el negro no se duerme
Viene el diablo blanco
Y le come las patitas
Tchaca bum tchaca bum
Tchaca tchaca tchaca bum. *(bis)*

Dors, dors, petit Nègre
Pendant que ta maman
                    est aux champs,
Petit nègre.
Elle te rapportera des cailles,
Elle te rapportera des fruits
                         savoureux,
Elle te rapportera beaucoup
                      de choses.
Et si tu ne dors pas,
                     petit Nègre,
Le diable blanc va venir
Et il mangera tes petits pieds
Tchaca bum tchaca bum
Tchaca tchaca tchaca bum. *(bis)*

Go down, Moses / *Va, Moïse, va*

When Is-rael was in E-gypt land, Let my peo-ple go, Op-
pressed so hard they could not stand, Let my peo-ple go.
Go down,___ Mo-ses,___ Way___ down in E-gypt land,___
Tell___ old___ Pha___ raoh___ To let my peo-ple go.

When Israel was in Egypt land,	Quand le peuple d'Israël
Let my people go,	était en Égypte
Oppressed so hard	Va mon peuple, va,
they could not stand,	Courbé sous le joug
Let my people go.	de l'oppression
	Va mon peuple, va.
Refrain	*Refrain*
Go down, Moses,	Va, Moïse, va
Way down in Egypt land,	Pars pour l'Égypte
Tell old Pharaoh	Et dis au vieux Pharaon
To let my people go.	De laisser partir mon peuple.

Go down, Moses / *Va, Moïse, va* (suite)

'Thus spoke the Lord' bold
          Moses said
'Let my people go,
If not, I'll smite your first-born
          dead,
Let my people go.'

'Your foes shall not before
          you stand,
Let my people go,
And you'll possess
          fair Canaan's land,
Let my people go.'

'You'll not get lost
          in the wilderness,
Let my people go,
With a lighted candle
          in your breast,
Let my people go.'

« Ainsi parla le Seigneur »,
          dit le fier Moïse
« Laissez partir mon peuple
Sinon je tuerai vos nouveau-nés
Laissez partir mon peuple. »

« Tes ennemis disparaîtront
Va, mon peuple, va,
Et la terre sacrée de Canaan
          sera à toi
Va, mon peuple, va. »

« Tu ne te perdras pas
          dans le désert
Va, mon peuple, va,
Car la lumière de ton cœur
          te guidera
Va, mon peuple, va. »

Go, tell it on the mountain

Allez le dire sur la montagne

When I was a sin-ner I prayed both night and day I asked the Lord to help me And He showed me the way. Go, tell it on the moun-tain O-ver the hills and ev'ry__ where__ Go, tell it on the moun-tain That Je-sus Christ is born.

When I was a sinner
I prayed both night and day
I asked the Lord to help me
And He showed me the way.

Refrain
Go, tell it on the mountain
Over the hills and ev'rywhere
Go, tell it on the mountain
That Jesus Christ is born.

Quand j'étais pécheur,
Je priais jour et nuit
Je demandais au Seigneur
de m'aider
Et il me montrait le chemin.

Refrain
Allez le dire sur la montagne,
Par-delà les collines
et dans le monde entier,
Allez dire sur la montagne
Que Jésus-Christ est né.

Go tell it on the mountain /
Allez le dire sur la montagne (suite)

While shepherds kept 　　　　their watching O'er wand'ring flock by night Behold! From out the Heavens There shone a holy light.	Alors que les bergers 　　　　surveillaient Leurs troupeaux errant 　　　　dans la nuit, Ils aperçurent, venue des cieux, La lumière divine.
He made me a watchman Upon the city wall And if I am a Christian I am the least of all.	J'en fus le témoin et je crie Par-dessus les murs de la ville Que je suis chrétien Et le plus humble de tous.

Greensleeves / *Manches vertes*

Alas, my love,— you do me wrong— To cast me out— dis-
cour - teous-ly, When I have lov——ed you so long,— De -
light-in-ing in— your com-pa- ny. Green-slee-ves was my de-light,—
Green - sleeves was my heart of gold. Green - sleeves was my
la - dy love,— And who but my la—dy love me.

Alas, my love, you do me wrong	Hélas, mon amour,
To cast me out discourteously,	que de peine vous me faites
When I have loved you so long,	À me repousser
Delighting in your company.	sans ménagement,
	Moi qui vous aime
	depuis si longtemps,
	Me rejouissant
	de votre compagnie.

Greensleeves / *Manches vertes* (suite)

Refrain
Greensleeves was my delight,
Greensleeves was my heart
      of gold.
Greensleeves was my lady love,
And who but my lady love me.

I have been ready at your hand
To grant whatever
      you would crave;
I have both wagered life and land,
Your love and good will
      for to have.

I bought thee kerchiefs
      to thy head
That were wrought fine
      and gallantly;
I kept thee both at board and bed,
Which cost my purse
      well favoredly.

Thy gown as of the grassy green,
Thy sleeves of satin hanging by;
Which made thee be
      our harvest queen,
And yet thou wouldest
      not love me.
Greensleeves, now farewell, adieu!

Refrain
Greensleeves était ma joie,
Greensleeves était mon trésor.
Greensleeves était mon seul
      et unique amour
Et qui aujourd'hui pourrait
      m'aimer ?

Pour vous, j'étais toujours prêt
À satisfaire vos moindres désirs ;
J'ai sacrifié ma vie et mes biens,
Afin de conquérir votre amour.

Je vous ai offert des foulards
Tous magnifiquement brodés ;
Je vous ai accueillie sous mon toit,
Et pour vous ai plus que dépensé.

Votre robe aux larges manches,
Était verte comme les prés ;
Vous étiez la reine des moissons,
Aujourd'hui, vous ne voulez plus
      m'aimer.

Greensleeves / *Manches vertes* (suite)

God I pray to prosper thee ;
For I am still thy lover true
Come once again and love me.

Adieu Greensleeves, adieu !
Je prierai Dieu qu'il vous protège ;
Votre amant fidèle
                    toujours je serai,
Revenez vite pour m'aimer.

Happy Birthday to you

Joyeux anniversaire

Hap- py Birth- day to you ! Hap- py Birth- day to

you ! Hap- py Birth- day to... ! —— Hap- py Birth- day to you !

Happy Birthday to you !
Happy Birthday to you !
Happy Birthday to... !
Happy Birthday to you !

Joyeux anniversaire (*ter*)

(*À la troisième fois, on ajoute
le prénom de la personne
en question.*)

Hevenou shalom

Nous vous apportons la paix

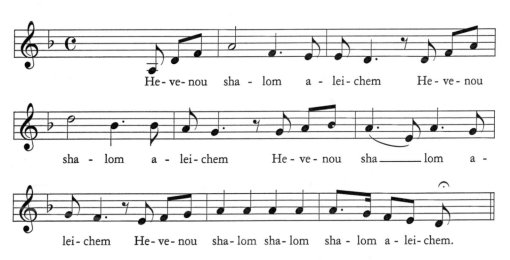

He - ve- nou sha - lom a - lei- chem He - ve- nou
sha - lom a - lei- chem He - ve - nou sha____lom a -
lei - chem He - ve- nou sha- lom sha- lom sha - lom a - lei- chem.

Hevenou shalom aleichem	Nous vous apportons la paix
Hevenou shalom aleichem	Nous vous apportons la paix
Hevenou shalom aleichem	Que la paix soit avec vous
Hevenou shalom	Que la paix soit sur vous tous.
shalom shalom aleichem.	

Jingle bells / *Les cloches tintent*

Dash-ing thro' the snow   In a   one-horse   o-pen sleigh,

O'er the fields we go   Laugh-ing all the way. —   Bells on bob-tail ring,

Ma-king spir-its bright ;   What   fun   it   is   to ride and sing   A

sleigh-ing song to-night !   Jin-gle bells, jin-gle bells, Jin-gle all the way.

O ! what fun   it   is   to ride   In a   one-horse   o - pen sleigh. —

Jin - gle bells,   jin - gle bells,   Jin - gle   all   the way.

O ! what fun   it   is   to ride   In a   one-horse   o-pen sleigh.

Jingle bells / *Les cloches tintent* (suite)

Dashing thro' the snow
In a one-horse open sleigh,
O'er the fields we go
Laughing all the way.
Bells on bobtail ring,
Making spirits bright;
What fun it is to ride and sing
A sleighing song tonight!

Refrain
Jingle bells, jingle bells,
Jingle all the way.
O! what fun it is to ride
In a one-horse open sleigh. } *bis*

Filant sur la neige
Sur un traîneau à un cheval,
Nous allons par les champs
En riant tout le temps.
Les cloches tintent en cadence
Et ravissent nos cœurs.
Quelle joie de glisser ainsi
En chantant à tue-tête !

Refrain
Les cloches tintent,
　　　les cloches tintent,
Tout le long du chemin
Quel plaisir de se promener
Dans un si beau traîneau ! } *bis*

Kalinka

Ka - lin - ka, ka - lin - ka, Ka - lin - ka ma - ya Fsa - dou

ya - ga - da Ma - lin - ka, ma - lin - ka ma - ya Ah ! Kra ça vi - tsa

Dou - cha dié vi - tsa Pa - liou - bi - jé Ty mi nia !

Refrain
Kalinka, kalinka,
Kalinka maya
Fsadou yagada
Malinka, malinka maya
Ah !

Kraçavitsa
Doucha diévitsa
Palioubi jé
Ty minia !

Refrain
Kalinka, kalinka
Oh, ma Kalinka,
Fruit de mon jardin,
Petite, ma toute-petite,
Ah !

Ma beauté,
Brave jeune fille,
Aime-moi,
Tu es à moi.

Kalinka (suite)

Pat sasnoyou
Pat zélionayou
Spat palajitié
Vy minia !

C'est sous un pin,
Sous la verdure,
Que je vais m'allonger
En pensant à toi.

Jil ya ou barina
Jil ya ounyla
Nitchévo
Né najil ya !

J'ai vécu chez un seigneur (*patron*),
Mais je m'y suis tellement ennuyé
Que rien
Je n'y ai gagné.

Kumbaya

Kum-ba-ya, my Lord,____ Kum-ba-ya____ Kum-ba-

ya, my Lord,____ Kum-ba-ya____ Kum-ba-ya, my Lord,____

Kum-ba-ya____ Oh, Lord,__Kum-ba-ya.____

Refrain
Kumbaya, my Lord, Kumbaya *(ter)*
Oh, Lord, Kumbaya.

Someone's singing Lord, Kumbaya
Oh, Lord, Kumbaya.

Someone's praying Lord, Kumbaya
Oh, Lord, Kumbaya.

Someone's sleeping Lord, Kumbaya
Oh, Lord, Kumbaya.

Refrain
Kumbaya, Seigneur, Kumbaya *(ter)*
Oh ! Seigneur, Kumbaya.

On chante ici, Seigneur, Kumbaya
Oh, Seigneur, Kumbaya.

On prie ici, Seigneur, Kumbaya
Oh, Seigneur, Kumbaya.

On dort ici, Seigneur, Kumbaya
Oh, Seigneur, Kumbaya.

La Cucaracha

Ya lle-gó la cu-ca-ra-cha La can-ción de mi pa-is,

Y la vie-ja y la mu-cha-cha La re-pi-te en Pa-ris. La cu-ca-

ra-cha, la cu-ca-ra-cha Ya no pue-de ca-mi-nar, Por-que no

tie-ne, Por-que le fal-tan Las dos pa-ti-tas de a-tras.

Ya llegó la cucaracha	Voilà la cucaracha
La canción de mi pais,	La chanson de mon pays,
Y la vieja y la muchacha	Les grand-mères
La repite en Paris.	et les jeunes filles
	La chantent jusqu'à Paris.

Refrain	*Refrain*
La cucaracha, *(bis)*	La cucaracha *(bis)*
Ya no puede caminar,	Ne peut pas avancer
Porque no tiene,	Parce qu'elle n'a pas
Porque le faltan	Parce qu'il lui manque
Las dos patitas de atras.	Les deux petites pattes
	de derrière.

La Cucaracha (suite)

La vecina de ahi en frente
Tiene una panaderia,
A los casados les vende
Y a los solteros les fia.

Cuando oigo la cucaracha
Se me alegra el corazón,
Y a darlé vuelo a la hilacha
Vamonos de vacilón.

Una rubia se casó
Con un negro colorin
Y los hijotos salierón
Del color del azerin.

La voisine d'en face
Tient une boulangerie,
Elle fait payer les gens mariés
Et aux célibataires fait crédit.

Quand j'entends la cucaracha,
La joie me vient au cœur,
Faisons tourner nos lassos
Et allons faire la fête.

Une blonde s'est mariée
Avec un homme de couleur
Et les enfants qui sont nés
Sont de couleur bleu-gris acier.

Michaël

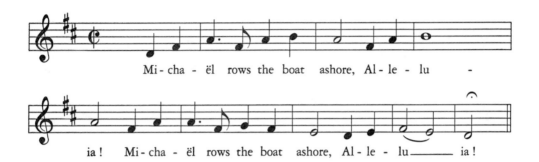

Mi - cha - ël rows the boat ashore, Al - le - lu -

ia ! Mi - cha - ël rows the boat ashore, Al - le - lu_____ ia !

Michaël rows the boat ashore,
Alleluia !
Michaël rows the boat ashore,
Alleluia !

Jordan's River is deep and wide
Meet my mother on the other side.

Jordan's River is chilly and cold
Kills the body but not the soul.

Michaël rame jusqu'à la rive,
Alleluia !
Michaël rame jusqu'à la rive,
Alleluia !

Le Jourdain est large et profond
Ma mère se trouve sur l'autre rive.

Le Jourdain est glacé
Le corps disparaît,
        seule l'âme survit.

Nobody knows

No-bo-dy knows the trou-ble I've seen No-bo-dy knows but Je-sus,

Glo - ry Hal - le - lu - yah !

Some - times I'm up, some -
Some - times I'm al - most

1.

2.

times I'm down, Oh ! Yes, Lord ! Oh ! yes, Lord !
to the ground,

Refrain
Nobody knows the trouble
        I've seen
Nobody knows but Jesus,
Nobody knows the trouble
        I've seen,
Glory Halleluyah !

Sometimes I'm up, sometimes
        I'm down,
Oh ! Yes, Lord !
Sometimes I'm almost
        to the ground,
Oh ! Yes, Lord !

Refrain
Personne ne peut savoir
Ce que j'ai vécu.
Personne ne peut savoir,
Sauf Jésus,
Glory alleluia !

Parfois je suis gai,
D'autres fois affligé,
Oh Seigneur !
Parfois même désorienté,
Oh Seigneur !

Nobody knows (suite)

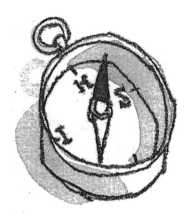

O ev'ry day to you I pray,
Oh! Yes, Lord!
For you drive my sins away,
Oh! Yes, Lord!

Et tous les jours
Je vais prier,
Oh, Seigneur!
Pardonne-moi tous mes péchés,
Oh Seigneur!

O Tannenbaum / *Mon beau sapin*

O Tan - nen-baum, O Tan - nen- baum, Wie grün sind dei - ne Blät - ter ! Du grünst nicht nur zur Som - mer - zeit, Nein, auch im Win - ter wenn es schneit. O Tan - nen- baum, O Tan - nen- baum, Wie grün sind dei - ne Blät - ter !

O Tannenbaum,	Mon beau sapin,
O Tannenbaum,	Roi des forêts,
Wie grün sind deine Blätter !	Que j'aime ta verdure !
Du grünst nicht nur zur Sommerzeit,	Quand par l'hiver Bois et guérets
Nein, auch im Winter wenn es schneit.	Sont dépouillés De leurs attraits,
O Tannenbaum,	Mon beau sapin,
O Tannenbaum,	Roi des forêts,
Wie grün sind deine Blätter !	Tu gardes ta parure.

O Tannenbaum / *Mon beau sapin* (suite)

O Tannenbaum,
O Tannenbaum,
Du kannst mir sehr gefallen !
Wie oft hat nicht zur Winterzeit
Ein Baum von dir mich hoch
                        erfreut !
O Tannenbaum,
O Tannenbaum,
Du kannst mir sehr gefallen !

Toi que Noël
Planta chez nous
Au saint anniversaire !
Joli sapin,
Comme ils sont doux
Et tes bonbons et tes joujoux !
Toi que Noël
Planta chez nous
Tout brillant de lumière.

O Tannenbaum,
O Tannenbaum,
Dein Kleid will mich was lehren :
Die Hoffnung und Beständigkeit
Gibt Mut und Kraft
                        zu jeder Zeit !
O Tannenbaum,
O Tannenbaum,
Dein Kleid will mich was lehren.

Mon beau sapin,
Tes verts sommets
Et leur fidèle ombrage
De la foi qui ne ment jamais,
De la constance et de la paix,
Mon beau sapin,
Tes verts sommets
M'offrent la douce image.

*(Ceci est la version française officielle
de cette chanson.)*

275

Oh ! Freedom

Oh ! Free-dom, Oh ! Free-dom, Oh ! Free-dom o-ver me. But be-fore I'd be a slave, I'll be bu-ried in my grave, and go home to my Lord and be free.

Oh ! Freedom, oh ! Freedom
Oh ! Freedom, over me.

Refrain
But before I'd be a slave,
I'll be buried in my grave,
And go home to my Lord
And be free.

No more running…
Over me.

No more crying…
Over me.

No more shooting…
Over me.

Liberté, liberté !
Je suis enfin libre !

Refrain
J'étais un esclave
Puis, on m'a enterré.
J'ai rejoint le Seigneur
Et suis enfin libéré.

Je n'ai plus à courir.

Je n'ai plus à pleurer.

Je ne crains plus les fusils.

Oh my darling Clementine

Oh, ma chère Clémentine

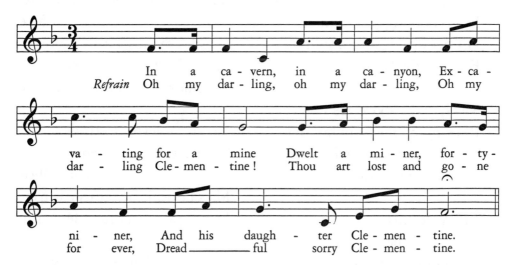

In a cavern, in a canyon,
Excavating for a mine
Dwelt a miner, forty-niner,
And his daughter Clementine.

Refrain
Oh my darling, oh my darling,
Oh my darling Clementine!
Thou art lost and gone for ever,
Dreadful sorry Clementine.

Light she was and like a fairy
And her shoes were number nine
Herring boxes, without topses
Sandals were for Clementine.

Dans une caverne au fond d'un canyon,
Travaillant dans une mine,
Vivaient un chercheur d'or
de la classe 49
Et sa fille Clémentine.

Refrain
Oh, ma chère, oh, ma chère,
Oh, ma chère Clémentine,
Pour toujours, tu es partie,
Quel malheur, ma Clémentine !

C'était un rayon de soleil,
c'était une fée,
Elle chaussait du 41,
Et des boîtes de sardines
Servaient de chaussures à Clémentine.

Mille ans de Chansons

Oh my darling Clementine
Oh, ma chère Clémentine (suite)

Drove she ducklings to the water
Ev'ry morning just at nine
Hit her foot against a splinter
Fell into the foaming brine.

Saw her lips above the water
Blowing bubbles mighty fine
But alas! I was no swimmer
So I lost my Clementine.

In my dreams
　　　　she still doth haunt me
Robed in garments soaked
　　　　　　　in brine
Tough in life I used to hug her
Now she's dead I'll draw the line.

How I missed her,
　　　　how I missed her
How I missed my Clementine!
But I kissed her little sister
And forgot my Clementine.

Elle accompagnait ses canetons
　　　　　　　à l'eau
Tous les matins à neuf heures.
Elle trébucha sur un bout de bois
Et tomba dans la mer écumeuse.

J'ai vu ses lèvres sortir de l'eau
Soufflant des bulles énormes
　　　　　　mais délicates
Mais hélas, je ne savais pas nager
Et n'ai pu sauver ma Clémentine.

Elle revient hanter mes rêves
Dans des habits ruisselant
　　　　　　d'eau de mer,
De son vivant j'aimais la serrer
　　　　　　dans mes bras
Aujourd'hui qu'elle est morte,
　　　　　il me faut l'oublier.

Comme elle me manque,
　　　　comme elle me manque !
Comme je regrette
　　　　　ma Clémentine !
Mais j'ai embrassé sa petite sœur
Et Clémentine ai oubliée.

Old black Joe

Gone are the days when my heart was young and gay Gone are my friends from the cot-ton fields a-way Gone from the earth to a bet-ter land I know. I hear their gen-tle voi-ces cal-ling Old black Joe! I'm co-ming! I'm co-ming! For my head is ben-ding low I hear their gen-tle voi-ces cal-ling Old black Joe!

Gone are the days when my heart
       was young and gay
Gone are my friends
      from the cotton fields away
Gone from the earth to a better
      land I know.

Ils sont loin les jours
      où mon cœur chantait.
Ils sont loin mes compagnons
      de labeur.
Loin de notre terre,
      dans un monde meilleur.

Old black Joe (suite)

Refrain
I hear their gentle voices calling
        Old black Joe !
I'm coming ! I'm coming !
For my head is bending low
I hear their gentle voices calling
        Old black Joe !

Why do I weep, when my heart
        should feel no pain
Why do I sigh, that my friends
        come not again
Grie'ing for forms, now departed
        long ago…

Where are the hearts,
        once so happy and so free
Th' children so dear, that I hel'
        upon my knee ?
Gone to the shore, where my soul
        has long'd to go…

Refrain
J'entends leurs douces voix
        appeler Old black Joe !
J'arrive ! J'arrive !
Je me sens si fatigué,
J'entends leurs douces voix
        appeler Old black Joe!

Pourquoi pleurer ?
        Je ne ressens plus de peine.
Pourquoi gémir ?
        Mes amis ne peuvent revenir.
Depuis longtemps,
        ils sont tous partis là-haut.
J'entends leurs douces voix
        appeler Old black Joe !

Où sont-ils donc ces hommes
        libres et heureux
Et leurs enfants qui sautaient
        sur mes genoux ?
Ils sont partis vers des rivages
        que je rejoindrai bientôt,
J'entends leurs douces voix
        appeler Old black Joe !

Old MacDonald / *Le Vieux MacDonald*

Old Mac-Don-ald had a farm, e - i - e - i - o! And on this farm he
had a cocke-rel, e - i - e - i - o! With a cock-a-doo-dle here, and a
cock-a-doo-dle there, Here a cock, there a doo-dle, eve-ry-where a cock-a-doo-dle.
Old Mac-Don-ald had a farm, e - i - e - i - o!

Old MacDonald had a farm,
   e-i-e-i-o!
And on this farm he had
   a cockerel, e-i-e-i-o!
With a cock-a-doodle here,
   and a cock-a-doodle there,
Here a cock, there a doodle,
   everywhere a cock-a-doodle.
Old MacDonald had a farm,
   e-i-e-i-o!
	Le vieux MacDonald
	   avait une ferme, i-a-i-a-o !
	Et dans cette ferme,
	   y'avait un coq, i-a-i-a-o !
	Coco par-ci, corico par-là,
	Coco par-ci, corico par-là,
	   cocorico par-ci, par-là.
	Le vieux MacDonald
	   avait une ferme, i-a-i-a-o !

Old MacDonald / *Le Vieux MacDonald* (suite)

And on this farm he had a cat,
  e-i-e-i-o!
With a meow-meow here,
  and a meow-meow there,
Here a meow, there a meow,
  everywhere a meow-meow.
Here a cock, there a doodle,
  everywhere a cock-a-doodle.
Old MacDonald had a farm,
  e-i-e-i-o!

And on this farm he had a dog,
  e-i-e-i-o!
With a woof-woof here,
  and a woof-woof there,
Here a woof, there a woof,
  everywhere a woof-woof.
Here a meow, there a meow,
  everywhere a meow-meow.
Here a cock, there a doodle,
  everywhere a cock-a-doodle.
Old MacDonald had a farm,
  e-i-e-i-o!

Et dans cette ferme,
  y'avait un chat, i-a-i-a-o !
Miaou par-ci, miaou par-là,
Miaou par-ci, miaou par-là
  miaou-miaou par-ci, par-là,
Coco par-ci, corico par-là,
  cocorico par-ci, par-là.
Le vieux MacDonald
  avait une ferme, i-a-i-a-o !

Et dans cette ferme,
  y'avait un chien, i-a-i-a-o !
Ouah-ouah, par-ci,
   ouah-ouah par-là,
Ouah-ouah-ouah par-ci, par-là,
Miaou par-ci, miaou par-là,
  miaou-miaou par-ci, par-là,
Coco par-ci, corico par-là,
  cocorico par-ci, par-là.
Le vieux MacDonald
  avait une ferme, i-a-i-a-o !

She'll be coming round the mountain

Ell' descend de la montagne

She'll be com-in' round the moun-tain when she comes,

She'll be com-in' round the moun-tain when she comes,

She'll be com-in' round the moun-tain, com-in' round the

moun-tain, She'll be com-in' round the moun-tain when she comes.

She'll be comin' round the
mountain when she comes, *(bis)*
She'll be comin' round
the mountain, comin' round
the mountain,
She'll be comin' round
the mountain when she comes.

Ell' descend de la montagne
à cheval, *(bis)*
Ell' descend de la montagne, *(bis)*
Ell' descend de la montagne
à cheval.

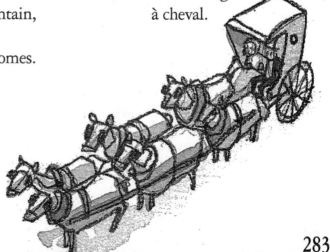

She'll be coming round the mountain
Ell' descend de la montagne (suite)

Refrain
Singing I, I, youpee youpee I, *(bis)*
Singing I, I, youpee, I, I, youpee,
   I, I, youpee youpee I.

She'll be driving six white horses
   when she comes,
She'll be driving six white horses,
   driving six white horses,
She'll be driving six white horses
   when she comes.

O we'll all go to meet her
   when she comes,
O we'll all go to meet her,
   all go to meet her,
O we'll all go to meet her
   when she comes.

And we'll all have chicken
 and dumplin' when she comes,
And we'll all have chicken
 and dumplin', all have chicken
   and dumplin',
And we'll all have chicken
 and dumplin' when she comes.

Refrain
Singing I, I, youpee youpee I *(bis)*
Singing I, I, youpee, I, I, youpee,
   I, I, youpee youpee I.

Elle embrasse son grand-père
   en descendant,
Elle embrasse son grand-père,
Elle embrasse son grand-père
   en descendant.

J'voudrais bien êtr'
 son grand-père en descendant,
J'voudrais bien êtr'
   son grand-père,
J'voudrais bien êtr'
 son grand-père en descendant.

*(Ceci est la version française officielle
de cette chanson.)*

Stille Nacht, heilige Nacht / *Douce nuit*

Stil— le Nacht, hei-li-ge Nacht! Al-les schläft, ein-sam wacht

Nur das trau-te hoch-hei-li-ge Paar. Schla-fe in himm-li-scher
Hol-der Kna-be im loc-ki-gen Haar,

Ruh,——— Schla-fe in himm-li-scher Ruh!———

Stille Nacht, heilige Nacht!
Alles schläft, einsam wacht
Nur das traute hochheilige Paar.
Holder Knabe im lockigen Haar,
Schlafe in himmlischer Ruh,
Schlafe in himmlischer Ruh!

Douce nuit, sainte nuit,
Dans les cieux l'astre luit.
Le mystère annoncé s'accomplit
Cet enfant sur la paille endormi,
C'est l'amour infini,
C'est l'amour infini !

Stille Nacht, heilige Nacht!
Hirten erst kund gemacht
Durch den Engel Halleluja,
Tönt es laut von fern und nah :
« Jesus, der Retter, ist da!
Jesus, der Retter, ist da! »

Doux enfant, doux agneau,
Qu'il est saint, qu'il est beau
Entendez résonner les pipeaux
Des bergers conduisant
          leurs troupeaux
Vers son humble berceau,
Vers son humble berceau [1]

Stille Nacht, heilige Nacht / *Douce nuit* (suite)

Stille Nacht, heilige Nacht !
Gottes Sohn, o wie lacht,
Lieb' aus deinem göttlichen
Mund,
Da uns schlägt die rettende
Stund',
Jesus in deiner Geburt !
Jesus in deiner Geburt !

C'est vers nous qu'il accourt
En un don sans retour…
De ce monde ignorant de l'amour
Où commence aujourd'hui
son séjour,
Qu'il soit roi pour toujours,
Qu'il soit roi pour toujours !

Quel accueil pour un roi,
Point d'abri, point de toit.
Dans sa crèche il grelotte de froid !
Ô pécheur, sans attendre la croix,
Jésus souffre pour toi,
Jésus souffre pour toi !

(Ceci est la version française officielle de cette chanson.)

When the saints

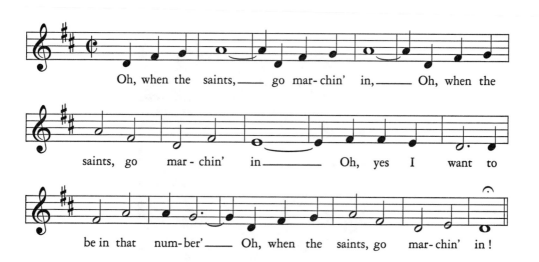

Oh, when the saints,——— go mar-chin' in,——— Oh, when the

saints, go mar-chin' in——— Oh, yes I want to

be in that num-ber'——— Oh, when the saints, go mar-chin' in !

Oh, when the saints,	Quand tous les saints
go marchin' in,	se mettront en route, *(bis)*
Oh, when the saints,	Je veux faire partie du nombre,
go marchin' in	Quand tous les saints
Oh, yes I want to be	se mettront en route.
in that number'	
Oh, when the saints,	
go marchin' in !	

Oh when the sun begins	Quand le soleil
to shine…	se mettra à briller…

Oh when the girls begin	Quand les filles
to smile…	se mettront à sourire…

Oh when the trumpet sons	Quand les trompettes
the call…	appelleront…

When the saints (suite)

Oh when the cows go
      to the fields,
Oh when the cows go
      to the fields,
They see the trains and say
      moo-moo,
Oh when the cows go
      to the fields.

Oh when the new world
      is revealed…

Quand les vaches
      s'en vont aux champs,
Elles regardent passer les trains
      et font meuh-meuh,
Quand les vaches
      s'en vont aux champs.

Quand le nouveau monde
      sera découvert…

Yankee Doodle

Fa - ther and I went down to camp, A - long with Cap'- tain

Goo - ding And there we saw the men and boys, As thick as has- ty

pud- ding. Yan- kee Doo- dle, keep it up Yan- kee Doo- dle Dan — dy

Mind the mu - sic and the step And with the girls be han - dy.

Father and I went down to camp,
Along with Cap'tain Gooding
And there we saw the men
    and boys,
As thick as hasty pudding.

Mon père et moi sommes arrivés
    au camp
Sous les ordres du capitaine
    Gooding
Et nous y avons vu des hommes
    et des garçons
Aux ventres bien rebondis.

Yankee Doodle (suite)

Refrain
Yankee Doodle, keep it up
Yankee Doodle Dandy
Mind the music and the step
And with the girls be handy.

And there we see a thousand men,
As rich as Squire David
And what they wasted every day,
I wish it could be saved.

Refrain
Yankee Doodle, suis le rythme
Yankee Doodle Dandy
Suis le rythme et la musique
Et avec les filles sois poli.

Nous avons vu des milliers
                    d'hommes
Aussi riches que des propriétaires
                    terriens
Et ce qu'ils gaspillaient
                    chaque jour
J'aurais pu en faire bon usage.

Index thématique

Chansons d'animaux

Chansons de marins

Chansons de Noël

Chansons humoristiques

RD
A/c

Chansons étrangères